lonely planet

D0496086

ROME

EN QUELQUES JOURS

CRISTIAN BONETTO

Rome en quelques jours

1ᵉ édition, traduit de l'ouvrage *Rome Encounter (1st edition)*,
September 2008

© Lonely Planet Publications Pty Ltd 2009
Tous droits réservés.

Traduction française :

© **Lonely Planet 2009,**
12 avenue d'Italie, 75627 Paris cedex 13
☏ 01 44 16 05 00
🖳 bip@lonelyplanet.fr
🖳 www.lonelyplanet.fr

Dépôt légal : Mars 2009
ISBN 978-2-84070-818-6

Responsable éditorial Didier Férat
Coordination éditoriale Marie Barriet-Savey
Coordination graphique Jean-Noël Doan
Maquette Christian Deloye
Cartographie Nicolas Chauveau
Couverture Jean-Noël Doan et Pauline Requier
Traduction Frédérique Hélion-Guerrini et Marie Thureau
Merci à Christiane Mouttet pour son travail sur le texte et
à Thérèse de Cherisey pour ses précieuses informations.

© Lonely Planet Publications Pty Ltd 2008.
Tous droits réservés.

Imprimé par L.E.G.O. Spa
(Legatoria Editoriale Giovanni Olivotto)
Imprimé en Italie
Réimpression 02, septembre 2009

COMMENT UTILISER CE GUIDE
Codes couleur et cartes

Des symboles de couleur représentent les sites et les
établissements figurent dans les chapitres et sont
reportés sur les cartes correspondantes afin de les
localiser rapidement. Les restaurants, par exemple,
sont indiqués par une fourchette verte. À chaque
quartier correspond une couleur spécifique, reprise
dans les onglets du chapitre qui lui est consacré.

Les zones en jaune sur les cartes désignent des
"secteurs dignes d'intérêt" (sur le plan historique
ou architectural, ou encore de par la présence de
bars et de restaurants, etc.). Nous vous conseillons
vivement de les explorer.

Prix

Les différents prix (par exemple 10/5 € ou
10/5/20 €) correspondent aux tarifs adulte/
enfant, normal/réduit ou adulte/enfant/famille.

Vos réactions ? Vos commentaires nous sont très
précieux et nous permettent d'améliorer constamment
nos guides. Notre équipe lit toutes vos lettres avec la
plus grande attention et prend en compte vos remarques
pour les prochaines mises à jour.

Pour nous faire part de vos réactions, prendre
connaissance de notre catalogue et vous abonner à
Comète, notre lettre d'information, consultez notre site
web : **www.lonelyplanet.fr**

Nous reprenons parfois des extraits de notre courrier
pour les publier dans nos produits, guides ou sites web.
Si vous ne souhaitez pas que vos commentaires soient
repris ou que votre nom apparaisse, merci de nous le
préciser. Pour connaître notre politique en matière de
confidentialité, connectez-vous à :
www.lonelyplanet.fr/confidentialite/index.cfm

CRISTIAN BONETTO

Cristian a tout pour être accro à Rome : romantique de son propre aveu, il revendique une sympathie pour les hédonistes bronzés et beaux parleurs, adeptes de la conduite sportive. Journaliste et dramaturge italo-australien, il est arrivé pour la première fois en ville avec son sac à dos en 1997. Depuis, il arpente les rues, célèbres ou méconnues. Assez pour savoir comment échapper aux contraventions ou consacrer une après-midi au *body painting* en écoutant du rap romain. Ses réflexions sur Rome et l'Italie sont parues dans des magazines du monde entier et sa pièce *Il Cortile* a été montée à Rome en 2003. Cristian passe aujourd'hui le plus clair de son temps à voyager entre l'Italie, la Suède et Melbourne, sa ville natale. Il a contribué à d'autres guides de Lonely Planet.

REMERCIEMENTS

Grazie mille à Duilio Verardi pour sa générosité, à Nello Di Marco et Francesca Miccoli pour leur hospitalité, et à Paula Hardy pour ses instructions. Merci aussi à Alessandro De Rita, Vincenzo Maccarrone, Silvia Marsano Mimmo Rubino, Carla Primo, Sally O'Brien, Martina Fedeli, Cristina Bowerman, Claudia Verardi, Susan Paterson, Mark Griffiths, Julie Sheridan, Antonietta Bonetto, Duncan Garwood, Abigail Hole, Virginia Maxwell, Carolyn Bain, Cameron Macintosh et à tous mes informateurs *romani*.

PHOTOGRAPHE

Will Salter a été primé pour des portraits et des photos de voyage et de sport. Pour lui, la photographie est un privilège, une chance de s'immiscer dans la vie des gens. Plus d'informations sur www.willsalter.com.

Photographie de couverture Musées du Capitole, cour intérieure, Giovanni Simeone/SIME-4Corners Images. **Photographies intérieures** p. 80, p. 100, p. 114, p. 127, p. 166 Cristian Bonetto ; p. 15 Ettore Ferrari/EPA/Corbis; p21 Alinari Archives/Corbis ; p. 22 Giovanni Simeone/SIME-4Corners ; p. 24 Franco Origia/Getty Images ; p. 27 Marco Longari/AFP/Getty Images ; p. 28 Vincenzo Pinto/AFP/Getty Images ; p. 198 Andrea Matone/Alamy ; p. 199 Gough Guides/Alamy. Toutes les autres photos : Lonely Planet Images et Will Salter, sauf p. 59, p. 60, p. 121, p. 163, p. 170, p. 178, p. 190 Paolo Cordelli ; p. 45 Jon Davison ; p. 88 Olivier Cirendini ; p. 111, p 136 Alan Benson ; p. 20, p. 55, p. 147, p. 200, Martin Moos ; p. 4 Glenn Beanland ; p. 6 Krzysztof Dydynski ; p. 32 Hanan Isachar ; p. 11 Russell Mountford ; p. 184, p. 201 Greg Elms. Toutes les photos sont sous le copyright des photographes sauf indication contraire. La plupart des photos publiées dans ce guide sont disponibles auprès de l'agence photographique **Lonely Planet Images :** www.lonelyplanetimages.com

Dans les ruelles pavées du Trastevere (p. 146), l'un des quartiers romains les plus pittoresques

SOMMAIRE

BIENVENUE À ROME

Mélange de sophistication et de provincialisme, de sociabilité et de brutalité, Rome, ancienne *caput mundi* (capitale du monde), fascine toujours autant le visiteur. Ville d'histoire par excellence, elle allie monuments célèbres, quartiers pittoresques et vie artistique animée.

C'est ici que Brutus trahit Jules César, que le Christ apparut à saint Pierre et que Gregory Peck berna Audrey Hepburn devant la Bocca della Verità (Bouche de la Vérité). Rome est tissée d'anecdotes culturelles, histoire des peintres des chapelles de la Renaissance ou cruels destins des poètes romantiques.

Mais, loin d'être figée dans ses ruines, elle fusionne de manière enivrante passé et présent : des piliers de temples surgissent derrière les arrêts de bus, les fêtards se trémoussent dans des chapelles du XIVe siècle et les arènes accueillent des concerts de rock. Dans le fouillis des vestiges impériaux, des fontaines baroques et des cafés rétro, se dévoile un cocktail décoiffant d'art de rue, de quartiers multiethniques et de saveurs italo-fusion bien ancrés dans le XXIe siècle. Vous marchiez sur les pas des empereurs, vous voilà en train de danser devant un groupe de rock dans un bar couvert de graffitis. On connaissait l'audace de Berlin et l'excentricité de Londres. La Rome du nouveau millénaire rivalise avec les villes du Nord. Ces dernières années ont vu la naissance de deux nouveaux musées d'art contemporain, d'un centre des arts de la scène et d'une profusion de festivals dynamiques.

Bien sûr, rien n'est jamais *perfetto* (parfait). La circulation anarchique et la pollution donnent de la Ville éternelle un tout autre visage. Mais, alors que pointe la désillusion, vous tombez soudain sur un authentique *zabaglione gelato* ou un Caravage caché – et vous voici de nouveau conquis.

En haut Le plafond baroque de la Chiesa del Gesù (p. 51), dans le centre historique **En bas** Un après-midi en plein air dans le vicolo del Cinque, au Trastevere (p. 146)

>LES INCONTOURNABLES

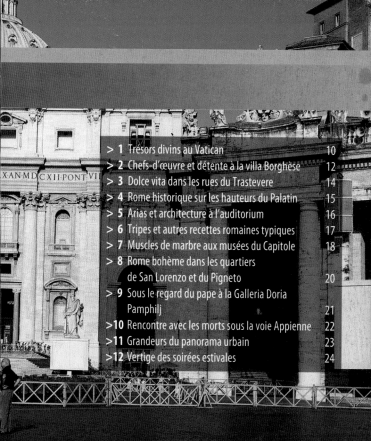

En bonne compagnie devant la basilique Saint-Pierre (p. 163)

>1 LA CITÉ DU VATICAN
LES TRÉSORS DIVINS DES MUSÉES DU VATICAN

Somptueux, riche et puissant, le Vatican (Città del Vaticano ; p. 162) est un peu la revanche du christianisme : au Ier siècle, Néron organisait au cirque d'Ager Vaticanus, juste au sud, les martyres des fidèles. Saint Pierre en aurait fait partie. La basilique Saint-Pierre se dresse sur sa tombe.

Constantin ordonna la construction de la basilique en 315. Maintes fois pillé, consolidé et embelli, l'édifice subit à partir de 1506 un renouvellement radical, dirigé par Bramante. Après sa mort, en 1514, Michel-Ange devint en 1547, à 72 ans, l'architecte en chef des travaux. On lui doit notamment l'époustouflante coupole de 119 m de haut. Non moins impressionnante, l'émouvante *Pietà*, qu'il sculpta à 24 ans, est sa seule œuvre signée : remarquez le ruban sur l'épaule gauche de la Vierge. D'autres artistes célèbres travaillèrent pour la basilique, parmi lesquels Carlo Maderno, qui agrandit la nef et rénova la façade au début du XVIIe siècle, et le Bernin, qui façonna le baldaquin avec le bronze du portique du Panthéon. Cet édifice monumental s'élève à 29 m au-dessus de l'autel papal. Contournez-le dans le sens des aiguilles d'une montre en commençant par la gauche. Chaque colonne est ornée d'un visage de femme. Après les trois premiers, illustrant les douleurs de l'enfantement, surgit un bébé respirant la santé. La femme représentée était la nièce du pape Urban VIII, qui accoucha pendant la réalisation du baldaquin. On doit aussi au Bernin la colossale place Saint-Pierre, le monument funéraire d'Urbain VIII, la statue de saint Longin, la chaire de saint Pierre et le monument funéraire d'Alexandre VII.

Sous la basilique, les grottes vaticanes renferment des tombeaux de papes, dont la modeste sépulture en marbre de Jean-Paul II. Plus fastueux, les musées du Vatican voisins abritent une profusion d'œuvres d'art, dont les plus célèbres fresques du monde, dans la légendaire chapelle Sixtine. Des chefs-d'œuvre du XVe siècle d'artistes comme Botticelli, Ghirlandaio, le Pinturicchio et Signorelli en ornent les parois latérales, mais ce sont les merveilleuses fresques de Michel-Ange qui tiennent la vedette – un puissant mouvement anime les personnages, des pécheurs terrifiés aux prophètes enchanteurs.

Raphaël réalisa les fresques des pièces dites Stanze di Raffaello (chambres de Raphaël), dont la Stanza della Segnatura abrite les plus beaux exemples. La Pinacothèque renferme la dernière œuvre du maître, la *Transfiguration* (1517-1520), ainsi que des toiles d'artistes comme Giotto, Léonard de Vinci, le Caravage, le Guerchin, Nicolas Poussin et Pierre de Cortone. La Galleria delle Carte Geografiche regorge de cartes anciennes, le Museo Gregoriano Egizio accueille des antiquités égyptiennes, le Museo Gregoriano Etrusco abrite des objets funéraires étrusques, et des antiquités du début de l'ère chrétienne sont exposées au Museo Pio Cristiano. Le Museo Gregoriano Profano, qui compte de nombreuses statues profanes, doit s'incliner devant la collection de statues classiques du Museo Pio Clementino : on y admire le *Torse du Belvédère* (Ier siècle av. J.-C.), une statue d'Apollon (IIe siècle) dans la cour du Belvédère et l'extraordinaire *Groupe de Lacoon* (Ier siècle av. J.-C.), qui aurait inspiré Michel-Ange.

>2 VILLA ET MUSEO E GALLERIA BORGHESE

CULTURE ET DÉTENTE À LA VILLA BORGHÈSE

Certains musées sont intéressants, d'autres sont remarquables. Et puis, il y a la galerie Borghèse (p. 179). Cette institution incontournable, qui éclipse bon nombre de ses concurrents au niveau national (ce qui n'est pas une mince affaire en Italie), mérite que l'on prenne le temps de réserver par téléphone ou sur Internet.

Nous devons cette collection au cardinal Scipion Borghèse. Principal mécène du Bernin et neveu du pape Paul V, il bénéficia du népotisme de ce dernier, qui lui permit d'amasser un butin culturel enviable. Rien n'arrêtait le cardinal, qui s'imposa comme le collectionneur d'art le plus impitoyable de son temps. Il fit emprisonner le Cavalier d'Arpin pour lui confisquer ses toiles, et arrêter le Dominiquin pour le contraindre à céder sa *Chasse de Diane*. Il décida de construire la villa Borghèse pour accueillir ses trésors culturels, toujours plus nombreux.

Parmi les joyaux du rez-de-chaussée, figurent une copie romaine d'un original grec de l'*Hermaphrodite endormi*, la statue de Pauline Borghèse, sœur de Napoléon, représentée en Vénus par Antonio Canova et de remarquables œuvres de jeunesse du Bernin : remarquez la main de Pluton sur la taille de Proserpine dans l'émouvant *Enlèvement de Proserpine* et l'émotion d'Apollon dans *Apollon et Daphné*. Vous pourrez également comparer le dynamisme de son *David* au calme de celui de Michel-Ange.

Borghèse fut aussi le mécène du Caravage. La collection compte six œuvres du peintre rebelle, dont le *Jeune Homme au panier de fruits*, le préféré du public, la *Madone des palefreniers*, d'une beauté étrange, et le *David avec la tête de Goliath*, dans lequel le peintre se peignit sous les traits de Goliath.

Le ravissement est encore au rendez-vous dans la galerie de peintures à l'étage, avec de grandes toiles des écoles de Toscane, de Venise, d'Ombrie et d'Europe du Nord, dont *La Mise au tombeau* de Raphaël, la *Déposition* de Rubens et l'extraordinaire *L'Amour sacré et l'Amour profane* de Titien .

La villa, restaurée dans le style néoclassique par l'architecte Antonio Asprucci en 1775, se dresse au milieu de la verdure du parc préféré des Romains. Beaucoup conservent de leur enfance le souvenir de dimanches après-midi passés dans les jardins à la française, les lacs d'agrément et les jolis temples. Le parc, qui accueillit le premier match de cricket de Rome dans les années 1780, abrite d'autres institutions culturelles, comme le Museo Carlo Bilotti (p. 179), le Silvano Toti Globe Theatre (p. 183) et la Casa del Cinema (p. 182), rendez-vous des cinéphiles. Il se prête enfin à la flânerie et aux pique-niques – pour grignoter un panier-repas de chez GiNa (p. 79) par exemple.

>3 LE TRASTEVERE

DOLCE VITA DANS LE QUARTIER PITTORESQUE DU TRASTEVERE

Certes, on ne retrouve sans doute plus au Trastevere l'esprit bohème de San Lorenzo ou du Pigneto (p. 20). Pour autant, la "rive gauche" romaine a conservé un certain dynamisme culturel. Dans les rues pavées, s'égrènent des galeries contemporaines branchées comme la Galleria Lorcan O'Neill (p. 150) – l'une des pionnières –, la Fondazione Volume! (p. 150) – prisée de l'intelligentsia – et la b>gallery (p. 158) – une librairie-bar-galerie ultra-branchée. Le monde littéraire se presse à la librairie Bibli (p. 152) pour les lectures et les lancements de livres et à quelques pas de là, à la Libreria del Cinema (p. 159), on parle cinéma autour d'un café ou d'un chianti.

Avec ses façades ocre couvertes de lierre, ses allées labyrinthiques, ses trattorias désuètes et ses places animées, le Trastevere est un enchantement. Il est particulièrement apprécié des étrangers, qui viennent y retrouver la Rome dont ils rêvaient.

Aux côtés de ces voyageurs conquis, la population de *Trasteverini*, qui se considèrent comme les vrais héritiers de la Rome classique, est en constante diminution. En juillet, ne manquez pas la Festa di Noantri (p. 27), une fête de rue organisée en l'honneur du quartier. Le reste de l'année, on trouve assez facilement un lieu pour profiter de la *dolce vita*. Le Trastevere demeure l'un des quartiers les plus animés après la tombée de la nuit.

>4 LE PALATIN

VESTIGES HISTORIQUES SUR LE MONT PALATIN

Fin 2007, les vestiges les plus extraordinaires de Rome firent la une des journaux : l'archéologue Andrea Carandini annonça avoir découvert le Lupercal, grotte souterraine légendaire, vénérée dans l'Antiquité comme le lieu où la louve allaita Remus et Romulus. Des clichés dévoilèrent un sanctuaire éblouissant orné de coquillages et de mosaïques colorées, 16 m sous le Palatin (p. 46). Hélas, d'autres archéologues de renom contestèrent bientôt les allégations de Carandini, arguant que la vraie grotte se trouvait à 50 ou 100 m de ce qu'ils considéraient comme un simple nymphée. La querelle n'est pas toujours terminée.

La Casa di Augusto, récemment restaurée, est moins controversée. Demeure d'Auguste avant qu'il ne devienne empereur, elle a ouvert au public en mars 2008 quatre salles ornées de fresques colorées, dont le cabinet privé d'Auguste. Chaque successeur d'Auguste chercha à surpasser ses prédécesseurs, en érigeant de somptueuses habitations sur le Palatin, qui conserve les premières traces de peuplement humain à Rome – des huttes de l'âge du fer, du IXe siècle av. J.-C.

Cette paisible colline, dotée d'un charme certain, dévoile une vue inoubliable. Un coup d'œil au Museo Palatino est idéal pour débuter son exploration. De là, vous pourrez flâner au gré des vestiges qui comptent des sites de choix comme le palais impérial de l'empereur Domitien (Domus Flavia), la Casa dei Grifi, ornée de stucs, les jardins Farnèse, du XVIe siècle et la Casa di Livia, dont les somptueuses fresques sont désormais exposées au Museo Nazionale Romano : Palazzo Massimo alle Terme (p. 96).

>5 AUDITORIUM PARCO DELLA MUSICA

MUSIQUE ET ARCHITECTURE À L'AUDITORIUM

Ce centre des arts de la scène du nouveau millénaire (voir p 182) bat des records : en 2007, il a attiré pas moins de 1,07 million de spectateurs, devenant ainsi la salle la plus fréquentée d'Europe et la deuxième du monde – après le Lincoln Centre de New York.

Rien que de très normal. Les amateurs de culture sont en effet gâtés, avec une programmation aussi dynamique qu'abordable – 5 € pour du Gershwin, 15 € pour une création de danse contemporaine. On peut aisément passer la journée sur place, en enchaînant un concert de l'Orchestre symphonique national de Santa Cecilia le matin, la visite d'une exposition dédiée aux artistes italiens émergents, un séminaire sur le rock et une pièce de Brecht en soirée. Même le hall, qui accueille une installation du Toscan Maurizio Nannucci, mérite le coup d'œil : il est émaillé de citations de génies de jadis (en néon rouge) et de l'Antologia de Nannucci (en néon bleu).

Le centre compte bien d'autres attraits : les fondations d'une villa du VIe siècle av. J.-C., un pressoir à huile antique – présenté devant le musée archéologique de l'auditorium –, une librairie doublée d'un magasin de musique bien fourni, un agréable restaurant – le Red (p. 181) –, sans oublier le bâtiment proprement dit, conçu par Renzo Piano : un amphithéâtre ouvert d'inspiration classique, entouré de trois salles de concert enchâssées dans des nacelles recouvertes de cuivre, qui furent comparées aussi bien à des scarabées géants qu'à des vaisseaux spatiaux. Piano s'inspira de son étude de l'intérieur des luths et des violons pour concevoir leur acoustique remarquable.

>6 LE CINQUIÈME QUARTIER : UN FESTIN GARANTI

ABATS ET AUTRES RECETTES ROMAINES TYPIQUES

Que les végétariens tournent la page et que les autres se préparent à des aventures gastronomiques extrêmes. Rien à voir avec un petit supplément de *panna* (crème) dans des spaghettis. Voici l'heure des ingrédients romains par excellence : les abats. Ainsi, citons joyeusement la *trippa alla romana* (tripes aux pommes de terre, à la tomate et à la menthe couvertes de fromage *pecorino*), la *coda alla vaccinara* (queue de bœuf à la mode bouchère) et les pâtes crémeuses à souhait accompagnées de *pajata* (intestins de veau contenant encore le lait de la mère).

Ne faites pas la moue avant d'y avoir goûté : souvenez-vous qu'au paradis des gourmets, une préparation experte et des herbes divines suffisent à faire des merveilles avec un foie de veau. Les Romains ont eu tout le temps d'affiner leur art : au IVe siècle, le livre de cuisine *Apicius* regorgeait déjà de foies, de cœurs et de cervelles, et jusqu'au milieu du XXe siècle, les bouchers des gigantesques abattoirs Mattatoio étaient aussi bien payés en viande qu'en argent. Ils ramenaient chez eux les entrailles, jugées indignes des palais bourgeois. C'est dans les cuisines ouvrières que naquirent bon nombre des recettes romaines bon marché.

Vous trouverez un ou deux plats d'abats sur la plupart des cartes, mais le Testaccio (p. 130) reste le meilleur quartier pour savourer ces mets de choix. Royaume des légendaires abattoirs Mattatoio, il abrite le maître incontesté des abats : Checchino dal 1887 (p. 135).

>7 LES MUSÉES DU CAPITOLE, PIAZZA DEL CAMPIDOGLIO

LES STATUES DE MARBRE DES MUSÉES DU CAPITOLE

Le plus vieux musée public du monde (p. 42) dévoile un puissant mélange de légendes, de luxure et de mélodrames, réunis dans la plus belle collection de trésors classiques de Rome. Celle-ci occupe deux palais sur la Piazza del Campidoglio de Michel-Ange : le palais des Conservateurs (Palazzo dei Conservatori), à l'extrême sud et le Nouveau Palais (Palazzo Nuovo), à l'extrême nord. Elle fut fondée en 1471 par le pape Sixte IV, qui légua quelques statues en bronze à la ville. Parmi elles, figurait la fameuse *Louve* étrusque du Ve siècle av. J.-C. (les jumeaux pendus à ses mamelles furent ajoutés à la Renaissance), qui se dresse désormais au 1er étage du palais des Conservateurs. Cette louve compte de célèbres comparses, dont le *Tireur d'épines*, du Ier siècle av. J.-C., la *Méduse* du Bernin, aux accents classiques, et la salle des Horaces et des Curiaces (Sala degli Orazi e Curiazi), ornée de fresques somptueuses.

Dernier ajout en date du palais des Conservateurs, la lumineuse Sala di Marco Aurelio est le (modeste) pendant de la Great Court du British Museum de sir Norman Foster. Conçue par le vétéran du néoréalisme italien Carlo Aymonino, elle présente une statue équestre du IIe siècle de l'empereur auquel elle doit son nom, les fondations de l'ancien temple de Jupiter et une tête en bronze géante de Constantin. En juin 2007, à l'occasion du lancement des festivités organisées pour le 45e anniversaire de la maison de couture Valentino, la salle s'emplit de célébrités. Pour admirer un sol antique toujours au goût du jour, rendez-vous dans la salle Horti Lamiani voisine, dotée d'un étonnant dallage en albâtre.

Au 2e étage, la Pinacothèque est bien pourvue, avec des toiles allant de la fin du Moyen Âge au XVIIIe siècle. Elle réunit des chefs-d'œuvre comme *Sainte Pétronille* du Guerchin, l'*Annonciation* de Garofalo, l'*Enlèvement des Sabines* de Pierre de Cortone et *Saint Jean-Baptiste* et la *Diseuse de bonne aventure* du Caravage.

Au sous-sol, le Tabularium relie le palais des Conservateurs au Nouveau Palais. Les anciennes archives romaines réunissent une

collection de délicates épigraphes et d'annonces publiques gravées
dans la pierre, qui offrent un aperçu de la vie dans l'Antiquité – le
principal attrait du lieu reste néanmoins le balcon surplombant le
Forum romain (p. 47).

Parmi les trésors du Nouveau Palais, citons la pudique *Vénus
du Capitole*, une mosaïque figurant des colombes admirablement
raffinée qui décorait la villa d'Hadrien à Tivoli – il s'agit d'une copie
d'une mosaïque de Sosos de Pergame, du IIe siècle av. J.-C. – et la Sala
dei Filosofi, ornée de bustes de penseurs, d'orateurs et de poètes
classiques. Le joyau de l'endroit vous attend dans la Sala del Gladiatore,
gardienne de l'émouvant *Galate mourant*, réplique romaine d'un
original de Pergame datant du IIIe siècle av. J.-C.

>8 SAN LORENZO ET IL PIGNETO

LA VIE DE BOHÈME DANS LES QUARTIERS DE SAN LORENZO ET D'IL PIGNETO

Avec son art de rue engagé, ses centres sociaux (*centri sociali*) et son penchant pour l'extrême-gauche, San Lorenzo est le cœur du radicalisme romain. Quartier pauvre lors de sa fondation au XIXᵉ siècle, il se distingua ensuite par son antifascisme. C'est aujourd'hui le rendez-vous de la bohème, des artistes d'avant-garde et des étudiants du campus universitaire de La Sapienza.

La créativité s'égrène au fil des rues, des vêtements d'A.P.E. (p. 108) aux délices poétiques de la Bocca di Dama (p. 109). On trouve ici le fameux vivier artistique du Pastificio Cerere (voir encadré, p. 108), le Pommidoro (p. 111), restaurant préféré de Pier Paolo Pasolini, et une multitude de bars bohèmes et animés.

À l'est, au-delà des autoponts futuristes du Circonvallazione Tiburtina, le quartier louche du Pigneto est en passe de devenir le plus tendance de Rome. Décor de films néoréalistes comme *Rome, ville ouverte* de Rossellini, *Bellissima* de Visconti et *Accattone* de Pasolini, il présente un fascinant mélange de rendez-vous de la communauté africaine, de contre-culture et de nouveaux bars et magasins. Des installations artistiques bordent les voies ferrées, des peintures au pochoir ornent les maisons ouvrières du XIXᵉ siècle et le Nuovo Cinema Aquila (p. 115) promet de devenir le prochain centre névralgique de la culture romaine.

Pour profiter de l'ambiance, venez le soir pour l'apéritif, quand les habitants se pressent dans des bars comme le Vini e Olii (p. 112) et Il Tiaso (p. 112). Gardez du temps pour la nouvelle cuisine du Primo (p111), une tranche de culture grunge, puis une sortie en discothèque au Fanfulla 101 (p. 113), l'enseigne favorite des amateurs de rock indépendant.

>9 GALLERIA DORIA PAMPHILJ

LES JOYAUX DE LA GALERIE DORIA PAMPHILJ

La vaste galerie Doria Pamphilj (p. 55) s'enorgueillit de posséder l'une des collections d'art privées les plus riches de la capitale. Elle réunit notamment des œuvres de Raphaël, du Caravage, de Titien, du Tintoret, de Bruegel, du Bernin et de Velázquez.

Avec sa galerie des Glaces, le fastueux Palazzo Doria Pamphilj dans lequel elle se niche évoque un Versailles miniature. L'audioguide gratuit fait revivre les lieux : Jonathan Pamphilj, maître du palais, présente ses trésors avec force anecdotes.

Parmi les nombreux joyaux, citons la macabre *Salomé* de Titien (saint Jean-Baptiste aurait les traits de l'artiste et Salomé ceux d'une maîtresse tombée en défaveur), *Les Usuriers*, œuvre caricaturale de Quentin Metsys, et deux étonnantes toiles de jeunesse du Caravage, *Repos après la fuite d'Égypte* et *Madeleine pénitente*, pour lesquelles le peintre utilisa les mêmes modèles pour la Vierge et Madeleine.

Nul ne saurait égaler le portrait du pape Innocent X de Velázquez, caractérisé par un réalisme remarquables, que le souverain pontife aurait déploré. De fait, on ne peut échapper au regard réprobateur du personnage. Heureusement, la sculpture du pape du XVIIe siècle réalisée par le Bernin ne donne pas le même sentiment de culpabilité.

>10 LA VOIE APPIENNE

"QUO VADIS" SUR LA VOIE APPIENNE ?

La voie Appienne (Via Appia Antica ; p. 124) est bordée de pins et peuplée de contes et de légendes mettant en scène des personnages célèbres – nulle diva, mais des saints et autres sauveurs. Le Christ serait apparu à saint Pierre là où se dresse aujourd'hui l'église "Domine Quo Vadis ?" (p. 126). Il aurait ensuite disparu en laissant ses empreintes sur un pavement de marbre, conservé dans la basilique des catacombes de San Sebastiano (p. 126). Ces catacombes protègent d'autres reliques célèbres, comme la flèche qui transperça saint Sébastien et le pilier auquel il fut attaché. Le martyr, victime de la persécution de l'empereur Dioclétien à la fin du IIIe siècle, fut souvent décrit sous les traits d'un bel homme, par divers artistes dont Rubens. La basilique fut élevée sur le site de son inhumation.

Les dépouilles de saint Pierre et de saint Paul pourraient aussi avoir été déposées dans les catacombes, avant la construction des basiliques Saint-Pierre et Saint-Paul-hors-les-Murs. Les catacombes de San Callisto (p. 126) renferment la crypte de Sainte-Cécile, qui contient une copie de la sculpture de la sainte, dont le corps fut retrouvé admirablement préservé plusieurs siècles après sa mort.

L'ancienne voie romaine possède un attrait mystique indéniable, avec des fresques secrètes et des épigraphes longtemps oubliées cachées sous des collines vallonnées, des mausolées en ruines et les traces des chars de l'Antiquité. Découvrez-là de préférence le dimanche : la "Reine des routes", fermée à la circulation, invite alors à la flânerie.

>11 PAYSAGES ROMAINS

SPLENDEURS DU PANORAMA URBAIN

Rome abonde en panoramas époustouflants. La cité s'étendait à l'origine sur sept collines, et elle en englobe aujourd'hui quelques-unes de plus. D'autres villes possèdent de plus hauts sommets, mais rares sont celles à égaler la quasi-perfection de ces vastes étendues.

Depuis le Janicule (p. 151), son point culminant, la capitale s'étire vers l'est dans une mer de toits ocre et de coupoles. Le monument à Victor Emmanuel II dévoile aussi une belle vue (voir p. 45). Pour profiter au mieux de l'ensemble, préférez la fin de l'après-midi, quand la ville s'illumine.

Plus près du centre, la coupole de la basilique Saint-Pierre (p. 163), le plus haut édifice de Rome, offre une vue époustouflante sur la place Saint-Pierre (p. 167) et permet de jeter un coup d'œil sur les jardins du Vatican. Pour un aperçu plus modeste du centre historique, rejoignez la terrasse du château Saint-Ange (p. 163), en admirant la vue sur le Tibre depuis le pont Saint-Ange.

Les amateurs d'Histoire graviront le Palatin (p. 46). Le Caffè Capitolino (p. 49) invite à savourer un bon expresso face à un paysage de coupoles. Les gourmands investiront l'Imàgo (p. 81), tandis que la Casina Valadier (p. 182), à proximité, est idéale pour admirer le coucher du soleil sur le Vatican en sirotant une coupe de champagne. Quintessence même du romantisme, le parc Savello (p. 132) permet de contempler le soleil couchant depuis une terrasse parfumée.

>12 L'ÉTÉ EN VILLE

DE FABULEUSES SOIRÉES ESTIVALES

Puccini au milieu des ruines et Herbie Hancock sous les étoiles : Rome en été ne manque pas de swing. Bien sûr, les températures sont étouffantes et de nombreux clubs et restaurants sont fermés. Pour autant, faisant fi de sa réputation de ville morte en été, la Ville éternelle offre une saison de festivals exceptionnelle.

De juin à septembre, le gigantesque festival culturel Estate Romana (www.estateromana.comune.roma.it) transforme la ville en une vaste scène : des chefs dirigent leur orchestre au Forum romain, des classiques du cinéma illuminent le Colisée et les parcs se métamorphosent en théâtres.

Également très apprécié, le festival de jazz de la villa Celimontana (p. 123) dure tout l'été. Des concerts de premier ordre se tiennent dans le parc. Ils ne commencent habituellement que vers 22h, mais mieux vaut venir tôt pour trouver une table et regarder le coucher du soleil en sirotant un verre.

De l'autre côté de la ville, à la villa Ada (carte p. 176, F2), le festival Roma Incontra Il Mondo (www.villaada.org en italien) programme des concerts de musique du monde de mi-juin à début août. De fin juin à septembre, la scène gay mène la danse au Gay Village (voir encadré, p. 29), pour dix semaines de réjouissances en plein air.

L'électrique Notte Bianca (www.lanottebianca.it) reste le grand événement de Rome. Elle a lieu un samedi de début septembre, et se prolonge toute la nuit. Au programme : concerts, expositions, illuminations de monuments, sans oublier la bombance, le shopping et la fête… en continu.

>AGENDA

Bien décidée à rejoindre le club des villes les plus branchées d'Europe, Rome a enrichi son calendrier de nouveaux événements. Des festivals internationaux de cinéma et de photographie contemporaine et un festival de hip-hop ont ainsi fait leur apparition. L'été est la grande saison des festivals (voir ci-contre). Les longues journées offrent les conditions idéales pour toutes sortes de manifestations, du jazz au crépuscule aux dix jours de réjouissances gay. Les dates changent selon les années. Vous obtiendrez notamment des renseignements sur www.romaturismo.it et www.whatsonwhen.com.

Pause contemplative dans la basilique Sainte-Marie-Majeure (p. 94), au plus fort de la saison des festivals

FÉVRIER

Carnevale

Pendant la semaine précédant le carême, les enfants déguisés jettent des confettis et les adultes nostalgiques se délectent de *bignè* (choux à la crème) et de *fritelle* (beignets). Les choses sont beaucoup plus calmes que par le passé : jusqu'aux années 1880, de folles courses de chevaux sans cavaliers étaient organisées dans la via del Corso.

MARS

Mostra delle Azalea

Pour l'arrivée du printemps, l'escalier de la Trinité-des-Monts s'orne de milliers d'azalées écarlates – une occasion idéale pour prendre des photos.

Maratona di Roma

www.maratonadiroma.it
Chaque année, quelque 50 000 courageux participent au marathon de la ville. Élancez-vous pour les 42 km, ou ménagez-vous en optant pour les 5 km.

AVRIL

Festival du film indépendant de Rome (RIFF)

www.riff.it
Une semaine de films italiens et étrangers. Les dates et les sites changent d'une année sur l'autre. Consultez le site Internet.

Chemin de croix

Le Vendredi saint, le pape conduit une procession à la lueur des cierges, du Colisée au Palatin. À midi le dimanche de Pâques, il donne sa bénédiction place Saint-Pierre.

Natale di Roma

Le 21 avril, Rome commémore sa fondation sur la piazza del Campidoglio, avec des concerts et des feux d'artifice. 2009 marquera les 2 762 ans de la ville.

FotoGrafia

www.fotografiafestival.it
En avril-mai, la photographie contemporaine s'empare des galeries de la ville. Au programme : plus de 100 expositions, des lectures, des films et des séminaires.

MAI

Settimana della Cultura (Semaine de la culture)

www.beniculturali.it en italien
Entrée gratuite dans les musées publics et dans des sites habituellement fermés. Les dates changent selon les années. Consultez le site Internet.

Primo Maggio

www.primomaggio.com en italien
À l'occasion de la fête du Travail : un grand concert de rock en plein air.

Adrénaline dans les rues de la ville, lors du marathon annuel

Festival de littérature de Rome

www.festivaldelleletterature.it

Pour ce festival, qui déborde sur juin, des lectures sont organisées au Forum romain. J.-M. G. Le Clézio a été invité par le passé.

JUIN

¡Fiesta!

www.fiesta.it en italien

Musique et gastronomie latino-américaine sont à l'honneur sur l'hippodrome de Capanelle, Via Appia Nuova, où s'est notamment produit Ricky Martin.

Fête de saint Pierre et saint Paul

Le 29 juin, Rome célèbre ses deux saints patrons par une messe à la basilique Saint-Pierre et des festivités de rue à la basilique Saint-Paul-hors-les-Murs.

JUILLET

Festa di Noantri

Deux semaines de festivités dans le Trastevere, avec une procession de la Vierge "del Carmine" le 3e samedi du mois. La piazza Santa Maria in Trastevere est au cœur de l'action.

AGENDA

Messe à la basilique Saint-Pierre, pour la fête de saint Pierre et saint Paul (p. 27), en juin

Invito alla Danza

www.invitoalladanza.it en italien

Pour le festival de danse de Rome, de grands danseurs internationaux se produisent dans les jardins de la villa Doria Pamphilj.

New Opera Festival

www.newoperafestivaldiroma.com

En juillet-août, des chanteurs lyriques italiens et étrangers s'emparent de la cour de la Basilica di San Clemente.

AOÛT

Festa della Madonna della Neve

Le 5 août, des milliers de pétales de rose sont déversés sur l'autel de la basilique Sainte-Marie-Majeure pour commémorer une chute de neige miraculeuse qui eut lieu au IVe siècle.

Ferragosto

Le jour de l'Assomption, le 15 août, Rome est pratiquement ville morte. Les citadins partent à la plage ou dans les collines.

SEPTEMBRE

RomaEuropa

www.romaeuropa.net

Le grand festival des arts de Rome se prolonge de septembre à novembre. Au programme : orchestres, opéra, ainsi que des troupes de théâtre et de danse de premier plan.

OCTOBRE

Cinema – Festa Internazionale Di Roma

www.romacinemafest.org

Films commerciaux en avant-première et talents internationaux émergents sont présentés dans différentes salles de la ville.

Festival international de Musique et d'Art liturgiques

www.festivalmusicaeartesacra.net

Des concerts magiques dans les quatre basiliques de Rome, par de grands orchestres européens – avec l'orchestre en résidence du festival, des artistes internationaux et l'Orchestre philharmonique de Vienne.

Via dei Coronari Mostra Mercato

Fin octobre, les collectionneurs se pressent dans cette foire aux antiquités, via dei Coronari.

NOVEMBRE

Roma Jazz Festival

www.romajazzfestival.it

La passion romaine pour le jazz bat son plein en novembre, quand des pointures s'emparent de l'auditorium Parco della Musica, pour 7 nuits de folles jam-sessions. Francesco Bearzatti, le Lee Konitz Nonet, le Maceo Parker Band et le Joshua Redman Trio se sont notamment produits en 2007.

DES MANIFESTATIONS ORIGINALES

Festa di Santa Francesca Romana Le 9 mars, pour la "bénédiction des voitures", les automobilistes romains s'arrêtent devant le monastère della Oblate di Santa Francesca Romana (carte p. 41, B2 ; Via del Teatro di Marcello 32 et 40) – on en comprend vite l'intérêt dans la Ville éternelle.

Gay Village Connectez-vous sur www.gayvillage.it (en italien) pour connaître les dates et les sites du festival gay culturel et festif qui dure tout l'été.

Sesto Senso Creativo Début juillet, un public alternatif se retrouve en banlieue au largo Agosta (à l'est du Pigneto) pour une semaine de *body painting*, d'art de rue, de hip-hop, de rythmes africains et d'électronique. Dates disponibles sur www.estate.roma.it.

Festa delle Catene Les dévots embrassent les chaînes de saint Pierre le 1er août, à l'occasion d'une messe donnée à Saint-Pierre-aux-Liens.

DÉCEMBRE

Marché de Noël de la Piazza Navona

Rien de nordique ici, mais des stands aux couleurs vives avec des scènes de la Nativité, des peluches et du nougat (*torrone*) mettant la mâchoire à rude épreuve. Certains aiment, d'autres pas.

Capodanno

Le 31 décembre, l'année s'achève par un feu d'artifice et des concerts gratuits sur une piazza del Popolo bondée.

Les ruines les plus impressionnantes, celles du Colisée (p. 44)

ITINÉRAIRES

Il faudrait plusieurs vies pour faire le tour de Rome. Mais quel en serait l'intérêt ? Flânez dans les ruelles, prenez le temps de savourer des *linguine* et perdez-vous dans les fascinants paysages urbains. Si vous aspirez à davantage d'organisation, pourquoi ne pas suivre les itinéraires ci-dessous ? Un conseil : chaussez-vous bien.

PREMIER JOUR

Buongiorno, Rome ! Montez en haut de la basilique Saint-Pierre (p. 163), puis jetez un œil à la chapelle Sixtine aux musées du Vatican (p. 168). Mangez au Pizzarium (p. 171), puis élancez-vous dans le dédale du centre historique, où vous déboucherez sur la piazza Navona (p. 58) et le Panthéon (p. 58). S'il vous reste de l'énergie, arpentez le Colisée (p. 44) ou le Palatin (p. 46), avant de prendre l'apéritif chez Freni e Frizioni (p. 159), de savourer la nouvelle cuisine du Glass Hostaria (p. 156) et d'écouter du jazz au Big Mama (p. 160).

DEUXIÈME JOUR

Après la découverte des chefs-d'œuvre de la galerie Borghèse (p. 179) et une balade dans la villa Borghèse (p. 180), cap sur le Museo Carlo Bilotti (p. 179) pour rencontrer Warhol et Giorgio de Chirico, ou rendez-vous au Palazzetto (p. 79) pour déjeuner. Puis, dévalez l'escalier de la Trinité-des-Monts (p. 76) pour rejoindre les grands créateurs via dei Condotti, ou optez pour les lignes plus audacieuses des boutiques du Monti (p. 92). Ensuite, sus aux cocktails de Salotto 42 (p. 68) et aux pizzas fumantes de Da Baffetto (p. 63), avant de terminer la soirée au Fluid (p. 67).

TROISIÈME JOUR

Reprenez vos esprits devant un expresso au Caffè Sant'Eustachio (p. 67), avant d'affronter la *Louve* aux musées du Capitole (p. 42). N'oubliez pas d'admirer la vue depuis le café du musée avant une pause bien méritée à l'Acqua Madre Hammam (p. 69). Puis, vin, dîner et musique trois-étoiles à l'auditorium Parco della Musica (p. 182).

En haut Le MACRO (Museo d'Arte Contemporanea di Roma ; p. 178), un haut lieu de l'art contemporain
En bas L'escalier en colimaçon des musées du Vatican (p. 168)

ROME SANS BOURSE DÉLIER

Les grands sites romains ne sont pas nécessairement payants : les musées du Vatican (p. 168) sont même gratuits le dernier dimanche du mois. Certains musées de la commune de Rome sont gratuits pour les Parisiens. On admire des chefs-d'œuvre sans rien débourser dans les églises : toiles du Caravage à Saint-Louis-des-Français (p. 54), à la Chiesa di Sant'Agostino (p. 55) et à la Chiesa di Santa Maria del Popolo (p. 74) ; sculptures du Bernin dans la Chiesa di Santa Maria della Vittoria (p. 86) et la Chiesa di San Francesco d'Assisi a Ripa (p. 150) ; mosaïques byzantines dans la Chiesa di Santa Prassede (p. 95). Vous ne paierez rien à la fontaine de Trevi (p. 88), à l'escalier de la Trinité-des-Monts (p. 76) et au Panthéon (p. 58). L'auditorium Parco della Musica (p. 182) et le festival culturel Estate Romana (p. 24) offrent des manifestations gratuites. Enfin, chaque année pour la Semaine de la culture (p. 26), on entre librement dans les musées publics. Découvrez d'autres bons plans sur www.romacheap. it (en italien).

LA CAPITALE CONTEMPORAINE

Plongez dans le nouveau millénaire au MAXXI (p. 178) et au MACRO (p. 178), puis rendez-vous au musée de l'Ara Pacis de Richard Meier (p. 75). Déjeunez

'Gusto (p. 79) dans le Tridente est le véritable paradis des gourmands

PRÉPARER SON VOYAGE À ROME

Trois à quatre semaines à l'avance Vérifiez si votre visite coïncide avec un festival (voir p. 24-25). Si c'est le cas, consultez la programmation sur Internet. Les mélomanes se renseigneront sur l'auditorium Parco della Musica (p. 182), le Circolo degli Artisti (p. 112) et le Teatro dell'Opera di Roma (p. 105). Les gourmets préféreront l'académie internationale du Vin (p. 83) et s'inscriront sur la liste de diffusion (en italien) du Fuzzy Bar (p. 112) pour connaître les manifestations œnologiques et gastronomiques. Rendez-vous sur le site de l'office de tourisme de Rome, www.romaturismo.it (en italien ou en anglais) pour télécharger de nombreuses brochures sur les hôtels, les restaurants, mais aussi des idées de promenade.

Deux semaines à l'avance Réservez pour les grands restaurants comme Il Convivio Troiani (p. 65), Imàgo (p. 81) et L'Altro Mastai (p. 65), et pour les soins balnéaires à l'Acanto Benessere Day Spa (p. 69) et à l'Acqua Madre Hammam (p. 69). Les amateurs de jazz visiteront le site de l'Alexanderplatz (p. 172). N'oubliez pas de faxer votre demande pour une visite guidée des jardins du Vatican (p. 167).

Quelques jours à l'avance Réservez l'entrée à la galerie Borghèse (p. 179), découvrez l'actualité culturelle sur www.romaace.it et consultez le site www.artguide.it (en italien) pour connaître les expositions du moment.

au minimaliste 'Gusto (p. 79), faites le plein d'articles futés au Mondo Pop (p. 78) et découvrez les artistes montants au Pastificio Cerere (voir encadré, p. 108), avant des cocktails et un dîner branché au Crudo (p. 67). Pour terminer la soirée : théâtre expérimental au Teatro India (p. 161) ou musique progressive au Rashomon (p. 145).

BALADE GASTRONOMIQUE

Réveillez vos papilles à La Tazza d'Oro (p. 68) avant d'inspecter les produits du Campo dei Fiori (p. 51). Traversez le Tibre pour déguster des *cannoli* (pâtisseries farcies à la ricotta) chez Valzani (p. 158), puis allez chercher l'inspiration culinaire à la Città del Gusto (voir encadré, p. 155). Régalez-vous sur place, ou déjeunez chez Checchino dal 1887 (p. 135) – pour les aventureux. Faites le plein de produits biologiques à la Città dell'Altra Economia (p. 134), dégustez les fromages légendaires de Volpetti (p. 136), puis exercez votre palais à l'académie internationale du Vin (p. 82). Si vous n'avez pas réservé de dégustation, contentez-vous d'y faire un saut, puis goûtez à un nectar d'exception au Palatium (p. 82). Pour finir : dîner haut de gamme à Il Convivio Troiani (p. 65) ou à L'Altro Mastai (p. 65).

>LES QUARTIERS

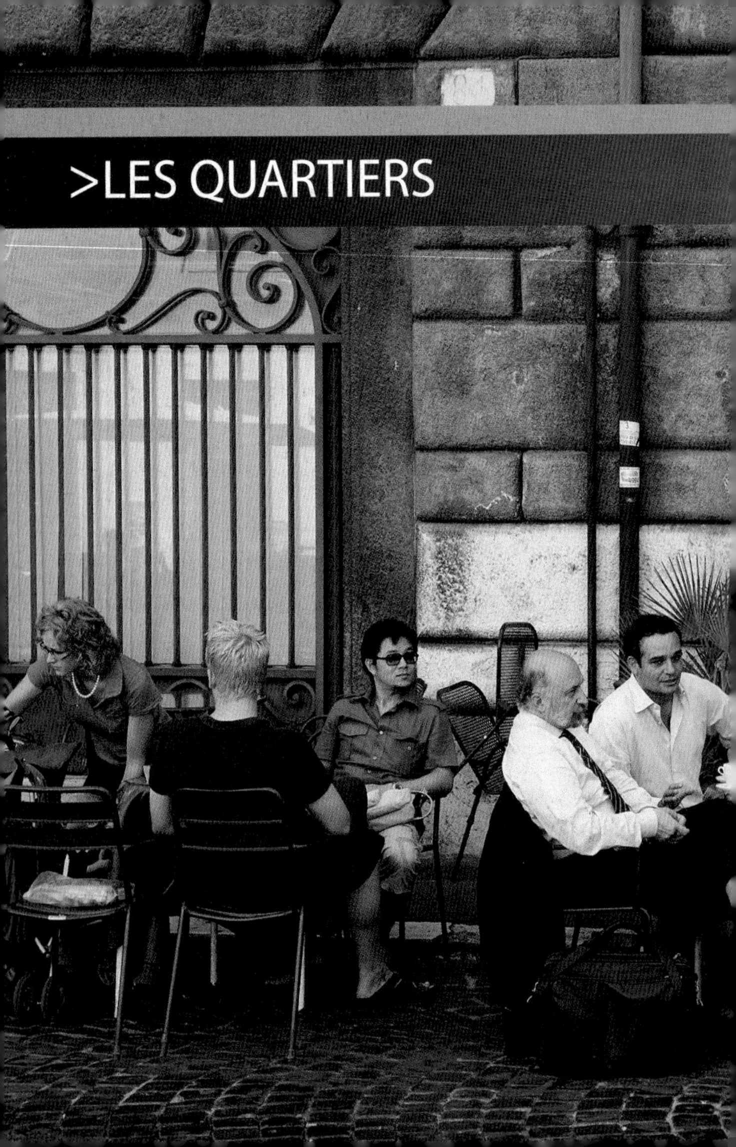

Mêlez-vous aux Romains au Caffè Sant'Eustachio (p. 67), dans le centre historique

LES QUARTIERS

Au bord du Tibre, la cité romaine
attire les superlatifs – du meilleur
du baroque aux pires embouteillages.

Cette ville façonnée par trois millénaires de batailles et de splendeur a presque trop à offrir. N'essayez pas d'en épuiser les richesses. Faites comme les Romains : flânez sans oublier de savourer une glace.

Le quartier qui englobe le Colisée, le Palatin et le Capitole forme le noyau de la Rome antique, royaume de vestiges évocateurs et de légendes improbables. Au sud, la colline du Caelius et le Latran offrent un aperçu de la Rome médiévale. Le cœur de la capitale bat au nord-ouest, dans le centre historique (centro storico), labyrinthe grisant de places et de ruelles célèbres, de galeries, de bars à vin, de restaurants branchés et de clubs.

De l'autre côté du Tibre, le Trastevere médiéval attire les expatriés grâce à ses bars animés. Le Janicule dévoile des panoramas époustouflants. Nul n'ignore la Cité du Vatican. Quant au Prati, tout proche, c'est une bonne adresse pour dîner ou faire du shopping.

Juste au nord du centre historique, l'élégant Tridente abrite des maisons de créateurs, des boutiques tendance et l'incontournable escalier de la Trinité-des-Monts. En haut de ce dernier, la verdoyante villa Borghèse abrite des joyaux culturels. À l'est du parc et au nord de la fameuse piazza del Popolo du Tridente, la banlieue nord possède des centres de culture contemporaine, une architecture singulière et des catacombes.

À l'est du centre historique, Trevi abrite des chefs-d'œuvre à la Galleria Colonna et au Palazzo Barberini, et la fontaine la plus célèbre de Rome. Le Quirinal accueille le palais présidentiel. Vous trouverez dans les rues du Monti des vêtements originaux et des bars à vin chaleureux ; au sud-est, l'Esquilin est marqué par la présence de la gare de Termini, d'un profond multiculturalisme et de quelques musées et églises incontournables. Plus au sud-est, San Lorenzo et le Pigneto incarnent la Rome bohème.

Au-delà de l'Aventin, au sud du centre antique, le Testaccio est le centre des discothèques. Une ambiance festive règne également dans le quartier postindustriel d'Ostiense, tandis que Saint-Paul-hors-les-Murs appelle au recueillement et que l'EUR témoigne de l'architecture fasciste.

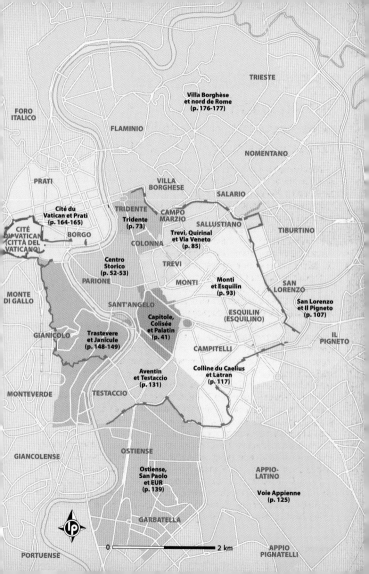

FORO
ITALICO

TRIESTE

Villa Borghèse
et nord de Rome
(p. 176-177)

FLAMINIO

NOMENTANO

PRATI

VILLA
BORGHÈSE

SALARIO

TRIDENTE

Cité du
Vatican et Prati
(p. 164-165)

Tridente
(p. 73)

CAMPO
MARZIO

SALLUSTIANO

TIBURTINO

CITÉ
DU VATICAN
(CITTÀ DEL
VATICANO)

BORGO

COLONNA

Trevi, Quirinal
et Via Veneto
(p. 85)

Centro
Storico
(p. 52-53)

TREVI

PARIONE

SAN
LORENZO

MONTE
DI GALLO

MONTI

Monti
et Esquilin
(p. 93)

SANT'ANGELO

San Lorenzo
et Il Pigneto
(p. 107)

GIANICOLO

Capitole,
Colisée
et Palatin
(p. 41)

ESQUILIN
(ESQUILINO)

IL
PIGNETO

Trastevere
et Janicule
(p. 148-149)

CAMPITELLI

MONTEVERDE

Aventin
et Testaccio
(p. 131)

Colline du Caelius
et Latran
(p. 117)

TESTACCIO

OSTIENSE

GIANCOLENSE

Ostiense,
San Paolo
et EUR
(p. 139)

APPIO-
LATINO

Voie Appienne
(p. 125)

GARBATELLA

0   2 km

PORTUENSE

APPIO
PIGNATELLI

>CAPITOLE, COLISÉE ET PALATIN

Le centre antique évoque des histoires palpitantes : Romulus assassina Remus sur le mont Palatin, les empereurs célébraient leurs conquêtes au Forum romain et les spectateurs scellaient le sort des gladiateurs au Colisée.

Le quartier s'explore aisément à pied. Il est dominé par le Colisée au sud-est et par le Capitole (Campidoglio) au nord-ouest. Entre les deux, les ruines des forums s'étirent de part et d'autre de la Via dei Fori Imperiali. On trouve au sud-est les vestiges du Palatin et la Bocca della Verità (Bouche de la Vérité) – gare à vos mains !

Les légendes ont la vie dure sur le Capitole : la Chiesa di Santa Maria in Aracoeli s'élèverait sur le site où la Vierge et l'Enfant seraient apparus à Auguste après qu'il eut interrogé la sibylle de Tibur. La colline, où deux temples furent édifiés dans l'Antiquité, accueille les musées du Capitole sur la belle Piazza del Campidoglio de Michel-Ange.

Esthétiquement moins convaincant, le monument à Victor-Emmanuel II se dresse juste au nord. Au-delà, le Palazzo Venezia, de style Renaissance, abrite un jardin papal secret.

CAPITOLE, COLISÉE ET PALATIN

◎ VOIR

Arco di Constantino **1** E3
Arco di Tito **2** D3
Basilica di San Marco **3** B1
Basilica di SS Cosma e
  Damiano **4** D2
Bocca della Verità et Chiesa
  di Santa Maria
  in Cosmedin **5** B4
Musées du Capitole **6** C2
Musées du Capitole (Palazzo
  dei Conservatori) **7** C2
Musées du Capitole (Palazzo
  Nuovo) **8** C2
Carcere Mamertino **9** C2
Chiesa di Santa Maria in
  Aracoeli **10** C1

Circo Massimo **11** C4
Colonna di Traiano **12** C1
Colosseo **13** E3
Cordonata **14** C2
Il Vittoriano **15** C1
Insula **16** B1
Lapis Niger **17** C2
Mercati di Traiano et Museo
  dei Fori Imperiali **18** D1
Museo del Palazzo
  di Venezia **19** B1
Entrée du secteur archéologique
  du Palatin **20** E4
Palazzo Senatorio **21** C2
Palazzo Venezia **22** B1
Piazza del Campidoglio **23** C2

Entrée du secteur
  archéologique du Forum
  romain **24** D2
Rostra **25** C2
Tabularium **26** C2
Tempio di Vesta **27** D2

🍴 SE RESTAURER

San Teodoro 28 C3

🍷 PRENDRE UN VERRE

Caffè Capitolino **29** C1
Cavour 313 .... **30** D2

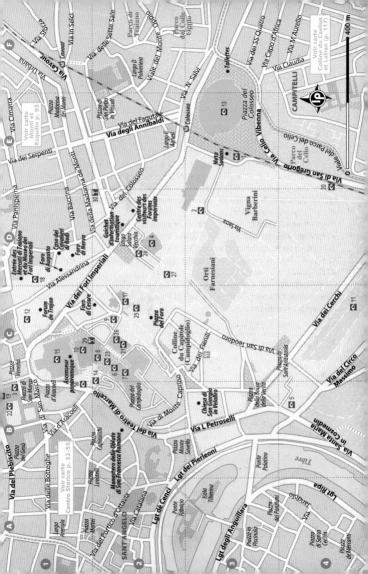

Voir carte Colline du Caelus et Latran (p. 117)

Via di SS. Quatro

Via dei Capo d'Africa

Via Claudia

Via M. Aurelio

CAMPITELLI

400 m

Via in Selci

Parco di Traiano

Parco del Colle Oppio

Via delle Sette Sale

Via di Monte Oppio

Via Cimarra

Voir carte Monti et Esquilin p. 93

Piazza Madonna dei Monti

Largo Venosta Polverieri

Piazza di San Pietro in Vincoli

Via Cavour

Via Urbana

Via Cavour

Via dei Serpenti

Via del Fagutale

Via degli Annibaldi

Il Colosseo

Piazza del Colosseo

13

Via del Celio Vibenna

Via di San Gregorio

Parco del Celio

Viale del Parco del Celio

20

Toilettes

Via dei Serpenti

Via Panisperna

Via Baccina

Via della Madonna de' Monti

Via del Colosseo

30

Meta Sudans

Largo 6 Agnesi

Entrée des Mercati di Traiano et du Museo dei Fori Imperiali

Casa dei Cavalieri di Rodi

Foro di Augusto

Foro di Nerva

Guichet d'information touristique

Centre des visiteurs des Forums impériaux

18

Largo Salara Vecchio

24

2

Via Sacra

Vigna Barberini

Via Alessandrina

Via dei Fori Imperiali

27

4

Orti Farnesiani

12

Forum de Trajan

Foro di Cesare

17

25

Piazza del Foro

Via del Cerchi

11

9

26

Colline du Capitole (Campidoglio)

Via della Flumini

Via di San Teodoro

Piazza di Sant'Anastasia

Via del Circo Massimo

15

Ascenseur panoramique

29

8

0

14

6

5

Piazza del Campidoglio

Via del Teatro di Marcello

Via di Monte Caprino

Chiesa di San Giorgio in Velabro

Piazza della Bocca della Verità

Via Santa Maria in Cosmedin

Piazza Venezia

19

3

Piazza di San Marco

Piazza d'Aracoeli

Piazza Lovatelli

Piazza Capizucchi

Piazza Monte Savello

Via L. Petroselli

Piazza di Pierleoni

Ponte Palatino

Tibre

Via del Plebiscito

Piazza del Gesù

Via delle Botteghe

Monastero delle Oblate di San Francesco Romano

Voir carte Centro Storico p. 52-53

Piazza Mattei

Via del Portico d'Ottavia

SANT'ANGELO

Via Catalana

Lgt de' Cenci

Isola Tiberina

Ponte Fabricio

Lgt dei Pierleoni

Ponte Cestio

Lgt degli Anguillara

Piazzio Piscinula

Piazza di Santa Cecilia

Lgt Ripa

Gianicolo

Lgt de' Mercanti

22

Largo Argentina

👁 VOIR

🔵 BOCCA DELLA VERITÀ ET CHIESA DI SANTA MARIA IN COSMEDIN

☎ 06 678 14 19 ; Piazza della Bocca della Verità 18 ; 🕐 9h-18h avr-sept, 9h-17h oct-mars ; 🚌 Via dei Cerchi

La Bouche de la Vérité est le détecteur de mensonges le plus célèbre de Rome : cette ancienne bouche d'égout en forme de masque happerait la main des menteurs (on dit que les prêtres y plaçaient des scorpions pour nourrir le mythe). Si vous réussissez le test, pénétrez dans la Chiesa di Santa Maria in Cosmedin (VIIIᵉ siècle) adjacente pour admirer les décorations de style cosmatesque. Le porche et le clocher datent du XIIᵉ siècle. Les trois piliers enchâssés dans la nef proviennent de la colonnade d'un marché antique.

🔵 BASILICA DEI SS COSMA E DAMIANO

☎ 06 699 15 40 ; Via dei Fori Imperiali ; 🕐 8h-13h et 15h-19h ; Ⓜ Colosseo

La basilique est dédiée aux saints Côme et Damien. Elle comprend une bibliothèque du forum de Vespasien (visible par une paroi de verre au bout de la nef) et renferme une mosaïque du VIᵉ siècle aux couleurs vives représentant le Second Avènement du Christ et une gigantesque **crèche** napolitaine

du XVIIIᵉ siècle (1 € ; 🕐 10h-13h et 15h-18h30 avr-oct, 10h-13h mar-jeu, 10h-13h et 15h-17h30 ven-dim nov-mars), près du cloître du XVIIᵉ siècle.

🔵 MUSEI CAPITOLINI

☎ 06 820 59 127 ; www.museicapitolini. org ; Piazza del Campidoglio 1 ; adulte/18-25 ans de l'UE/moins de 18 ans et plus de 65 ans de l'UE hors exposition 6,50/4,50 €/gratuit, avec exposition 8/6 €/gratuit, avec exposition et Centrale Montemartini adulte/étudiant/enfant 8,50/6,50 €/gratuit ; 🕐 9h-20h (dernière entrée à 19h) mar-dim ; 🚌 Piazza Venezia ; ♿

Les musées du Capitole abritent des joyaux de la sculpture antique et des toiles de grands maîtres comme Titien, le Tintoret, Rubens et Van Dyck. L'audioguide (1/2 pers 5/6,30 €) permet d'appréhender l'ensemble. Prévoyez du temps pour visiter l'antenne de la **Centrale Montemartini** (p. 140), plus au sud, qui évoque la Tate Modern de Londres.

🔵 CARCERE MAMERTINO

☎ 06 679 29 02 ; Clivo Argentario 1 ; don demandé ; 🕐 9h-19h avr-oct, 9h-17h nov-mars ; 🚌 Piazza Venezia

C'est dans le cachot sombre et humide de la prison Mamertime qu'étaient enfermés les opposants de l'État romain. C'est ici qu'aurait été détenu saint Pierre, entravé par les chaînes conservées dans la basilique Saint-Pierre-aux-Liens (p. 94). Selon la légende, Pierre et Paul auraient fait jaillir une source pour donner le baptême.

CHIESA DI SANTA MARIA IN ARACOELI

☎ 06 679 81 55 ; Piazza del Campidoglio 4 ; ⏱ 9h-12h30 et 14h30-17h30 ; 🚌 Piazza Venezia
En haut de l'escalier d'Aracoeli (XIVᵉ siècle) – une épreuve pour les jambes –, ce joyau roman renferme des fresques de Cavallini du XIIIᵉ siècle, des fresques du XVᵉ siècle du Pinturicchio et le célèbre *Santo Bambino*, statuette en bois de l'Enfant Jésus qui aurait des pouvoirs

de guérison – l'original a été volé en 1994. Au pied de l'escalier, les ruines d'une **insula** – immeuble romain qui logeait des pauvres – ont été conservées.

CIRCO MASSIMO

Via del Circo Massimo ; Ⓜ Circo Massimo
Cette étendue herbeuse était jadis le plus vaste cirque de Rome pour les courses de chars. D'une capacité de 250 000 personnes, le Circus Maximus était parfois inondé pour reconstituer des batailles navales. La piste de 600 m s'ornait de bornes et d'obélisques – dont l'un se dresse aujourd'hui sur la Piazza del Popolo (p. 75).

Sous le regard des anciens, dans la salle des Philosophes des musées du Capitole

LA FOLIE DES EMPEREURS

Dans l'Antiquité, les Romains eurent souvent à pâtir de la mégalomanie de leurs souverains. Caligula ("Petites Bottes" ; r. 37-41) se révéla l'un des pires. Amoureux de sa sœur, il se distingua par ailleurs par des extravagances, des vols et des meurtres. Néron (r. 54-68) fut encore plus cruel. Dernier descendant d'Auguste, il fit assassiner sa mère, tailler les veines de sa première épouse, battre la seconde à mort, puis élimina l'ex-mari de la troisième – pour ne s'en tenir qu'à la sphère privée. Néron pourrait toutefois ne pas être responsable du grand incendie de 64, qui lui est traditionnellement attribué – les historiens remettent de plus en plus en cause cette théorie.

◐ COLONNA DI TRAIANO

☎ 06 820 59 127 ;
www.mercatiditraiano.it ; Via dei Fori
Imperiali ; 🚌 Via dei Fori Imperiali
Au milieu des ruines du forum de
Trajan, la colonne Trajane (113) est
ornée de motifs élaborés, illustrant
les victoires sur les Daces (qui
occupaient l'actuelle Roumanie). À
la mort de l'empereur, elle devint
sa sépulture : ses cendres furent
enfouies au pied de la colonne,
coiffée d'une statue dorée – que
le pape Sixte V remplaça bien
plus tard par celle de saint Pierre.
Des moulages de la colonne sont
présentés au Museo della Civiltà
Romana (p. 141).

◐ COLOSSEO

☎ 06 399 67 700 ; www.pierreci.it ;
Piazza del Colosseo ; avec le Palatin et
le Forum romain adulte/18-24 ans de
l'UE/moins de 18 ans et plus de 65 ans de
l'UE 11/6,50 €/gratuit ; ⏱ 8h30-19h15
avr-août, 8h30-19h sept, 8h30-18h30 oct,
8h30-16h30 nov-déc et jan à mi-fév, 8h30-
17h mi-fév à mi-mars, 8h30-17h30 mi-
mars à fin mars (dernière entrée 1 heure
avant la fermeture) ; Ⓜ Colosseo ; ♿
En 80, l'inauguration de cet
amphithéâtre de 50 000 places
construit par l'empereur Vespasien
dura 100 jours. Les gladiateurs
tuèrent 5 000 bêtes. À partir
du VIe siècle, après la chute de
l'Empire, le Colisée servit de
carrière – son travertin recouvre
la Chiesa di Sant'Agostino (p. 55).
De remarquables expositions
temporaires sont désormais
organisées dans l'édifice ; le
théâtre classique a notamment
été à l'honneur récemment.
Méfiez-vous des "gladiateurs"
qui se font payer pour se faire
prendre en photo à l'extérieur, tout
comme des guides "officiels" qui
promettent des tarifs réduits et
moins d'attente. Pour gagner du
temps, achetez plutôt votre billet
au Palatin (p. 46). À proximité,
l'arc de Constantin, du IVe siècle,
commémore la victoire de
Constantin au pont Milvius (p. 179).

◉ IL VITTORIANO
☎ 06 699 17 18 ; Piazza Venezia ;
gratuit ; ⏱ 9h30-17h30 mar-dim ;
🚌 **Piazza Venezia**

Ce monument de marbre blanc
démesuré fut bâti en l'honneur
du premier roi d'Italie, Victor-
Emmanuel II. Il abrite désormais
la tombe du Soldat inconnu. Son
principal intérêt réside dans le
panorama à 360° que dévoile le
toit, accessible par un **ascenseur
panoramique** (adulte/10-18 ans et plus de
65 ans/moins de 10 ans 7/3,50 €/gratuit ;
⏱ 9h30-19h30 lun-jeu, 9h30-23h30 ven-sam,
9h30-20h30 dim) à l'arrière du bâtiment.

◉ MERCATI DI TRAIANO ET MUSEO DEI FORI IMPERIALI
☎ 06 820 59 127 ;
www.mercatiditraiano.it ; **Via
IV Novembre 94** ; **adulte/18-25 ans de
l'UE/moins de 18 ans et plus de 65 ans
de l'UE ; 6,50/4,50 €/gratuit** ; ⏱ **9h-19h
mar-dim (dernière entrée 1 heure avant
la fermeture)** ; 🚌 **Via IV Novembre**

L'étonnant nouveau musée des
Forums impériaux englobe le grand
hall des marchés de Trajan (IIe siècle),
qui s'étendaient sur 3 étages dans
l'Antiquité. Il présente des objets
découverts au forum de Trajan, ainsi
que dans les forums voisins de César,

Les ornements de la colonne Trajane évoquent des victoires militaires

Nerva et Auguste. À son apogée, le forum de Trajan comptait des bibliothèques, un temple, un arc de triomphe, la plus grande basilique de Rome, la colonne Trajane (p. 44) et l'impressionnant ensemble du marché. Vous pourrez jeter un coup d'œil à des magasins et des bars antiques, qui composent un décor remarquable pour des expositions artistiques temporaires. L'audioguide est téléchargeable gratuitement sur le site Internet du musée.

◉ PALATIN

☎ 06 399 67 700 ; www.pierreci.it ; Via di San Gregorio 30 ; avec le Colisée et le Forum romain adulte/18-24 ans de l'UE/moins de 18 ans et plus de 65 ans de l'UE 11/6,50 €/gratuit ; ☽ 8h30-19h15 avr-août, 8h30-19h sept, 8h30-18h30 oct, 8h30-16h30 nov-déc et jan à mi-fév, 8h30-17h mi-fév à mi-mars, 8h30-17h30 mi-mars à fin mars (dernière entrée 1 heure avant la fermeture) ; Ⓜ Colosseo
Les personnalités de la capitale résidaient jadis au Palatin. Parsemé de villas en ruines et de beaux points de vue, le Museo Palatino abrite une collection intéressante de pièces découvertes sur la colline, dont des "ustensiles de cuisine" du paléolithique et une superbe tête sculptée de la fille de Marc-Aurèle (Giovane Principessa). Des visites guidées en anglais du Palatin ont lieu tous les jours à 11h30 (4 €). Les billets (qui donnent aussi accès au

Colisée et au Forum romain) délivrés après 13h30 sont valables jusqu'au lendemain 13h30. On peut désormais rejoindre directement le Palatin depuis le Forum romain (ci-contre).

◉ PALAZZO VENEZIA
🚌 Piazza Venezia
Le premier grand palais Renaissance de Rome (XVe siècle) est l'œuvre de Francesco del Borgo. Il abrite le **Museo del Palazzo di Venezia** (☎ 06 699 94 318 ; Via del Plebiscito 118 ; 4 €, supp pour les expositions ; ☽ 8h30-19h30 mar-dim ; ♿), qui réunit une collection éclectique de peintures, de céramiques, de tapisseries, d'armes et d'armures datant de l'époque byzantine et du début de la Renaissance. De grandes expositions sont organisées dans la Sala del Mappamondo (l'ancien bureau de Mussolini). À l'arrière, en face de la Piazza San Marco, la **Basilica di San Marco** (Piazza San Marco ; ☽ 8h-12h et 16h-19h lun-sam, 9h-13h et 16h-20h dim) mérite le coup d'œil pour sa ravissante mosaïque du IXe siècle.

◉ PIAZZA DEL CAMPIDOGLIO
🚌 Piazza Venezia
Pour rejoindre ce chef-d'œuvre de Michel-Ange, passez par la **Cordonata**, le bel escalier du maître qui remonte depuis la Piazza d'Aracoeli. La place, construite au XVIe siècle à l'occasion de la venue de l'empereur Charles V, est gardée par des sculptures antiques, dont une œuvre géante figurant Castor et Pollux, découverte

dans le ghetto juif. Une terrasse romantique méconnue s'élève en haut de l'escalier, après la porte sur la droite.

🄲 FORUM ROMAIN

☎ 06 399 67 700 ; www.pierreci.it ; **entrée par le Largo Salara Vecchia ; avec le Colisée et le Palatin adulte/18-24 ans de l'UE/moins de 18 ans et plus de 65 ans de l'UE 11/6,50 €/gratuit ;** 🕙 **8h30-19h15 avr-août, 8h30-19h sept, 8h30-18h30 oct, 8h30-4h30 nov-déc et jan à mi-fév, 8h30-17h mi-fév à mi-mars, 8h30-17h30 mi-mars à fin mars (dernière entrée 1 heure avant la fermeture) ;** Ⓜ **Colosseo**

Ces vestiges s'étendent sur ce qui fut jadis le centre du monde antique, bordé de temples de marbre étincelants, de cours de justice et de bureaux. Profitez du panorama à l'arrière du **Palazzo Senatorio** sur la Piazza del Campidoglio (ci-contre), puis munissez-vous d'un audioguide (4 €) ou rejoignez la visite guidée en anglais qui a lieu chaque jour à 13h (4 € ; départ de la billetterie du Largo Salara Vecchia). D'intrigantes anecdotes sont attachées aux colonnes renversées : Marc Antoine pria les Romains de l'écouter à la **Rostra** ; le **Lapis Niger** se dresserait sur le tombeau de Romulus ; les

Le Forum romain : idéal pour exercer son imagination – et ses jambes

vestales entretenaient le feu sacré au **Tempio di Vesta** ; et les juifs de Rome évitaient l'**Arc de Titus** (Arco di Tito), érigé en l'honneur de Vespasien et des victoires de Titus sur Jérusalem, symbole historique des débuts de la diaspora. On peut désormais rejoindre directement le Forum romain depuis le Palatin (p. 46).

SE RESTAURER

Les restaurants sont rares au milieu des vestiges, mais on rejoint aisément à pied le quartier du Monti, la colline de Caelius et le Latran.

SAN TEODORO
Restaurant   € € €

☎ 06 678 09 33 ; Via dei Fienili 49-50 ;

⏱ 13h-15h15 et 20h-23h30 lun-sam ;

🚊 Teatro di Marcello

La recette du succès du San Teodoro : un décor romantique sur une place médiévale, des œuvres d'art contemporain, une bonne carte des vins et des plats mêlant tradition et sophistication. Les fruits de mer sont rois – ah, les petits calmars sautés aux artichauts… – ; le chocolat, la ricotta et la glace figurent dans différents desserts.

Au Caffè Capitolino : savourez votre café sur fond de panorama grandiose

Y PRENDRE UN VERRE

Y CAFFÈ CAPITOLINO *Café*

☎ 06 691 90 564 ; **musées du Capitole, Piazza del Campidoglio 19 ;** ⊗ **9h-19h30 mar-dim ;** 🚌 **Piazza Venezia**

Pour prendre un café avec vue, rendez-vous dans cet élégant café situé sur le toit des musées du Capitole – inutile d'avoir un billet : on entre aussi par la rue, à droite du palais des Conservateurs (Palazzo dei Conservatori). Contrairement au panorama, les en-cas légers (paninis, salades et pizzas) n'ont rien d'époustouflant.

Y CAVOUR 313 *Bar à vins*

☎ 06 678 54 96 ; Via Cavour 313 ; ⊗ 12h30-14h45 et 19h30-0h30 ; Ⓜ Cavour

Non loin du Colisée et des Forums romains, le confortable Cavour 313 séduit autant les ministres que les Roméo en herbe. Rangés sur des étagères, on trouve aussi bien des vins locaux bon marché que des crus du Nouveau Monde, à déguster accompagnés d'une bonne assiette de fromage ou d'un plat de jour (mention spéciale pour les cannellonis à la ricotta, à la chicorée, aux anchois et au *provoletta*). Service discret.

>CENTRO STORICO

De belles places, des palais ornés de fresques, un marché appétissant… Le centre historique (*centro storico*) a de quoi ravir les visiteurs, qui viennent admirer les toiles du Caravage dans les églises, profiter du soleil sur la Piazza Navona ou passer la soirée au Campo dei Fiori.

CENTRO STORICO

Voir le plan ci-après

Le quartier invite à se perdre. Des boutiques d'artisans bordent d'étroites ruelles, des galeries contemporaines émaillent des bâtiments médiévaux, et les effluves des vieilles boulangeries kasher baignent la Via del Portico d'Ottavia, au cœur du ghetto juif. Lâchez votre guide, enfoncez-vous dans une venelle et allez là où vous portent vos pas.

Traversé par le Corso Vittorio Emanuele II, le centre historique correspond au Campo Marzio (Champ de Mars) de l'Antiquité. Cette étendue inondable comprenait des casernes, des théâtres paillards et des temples, dont le Panthéon. Intégrée à la ville proprement dite au Moyen Âge, elle acquit sa spécificité pendant les périodes Renaissance et baroque, quand des maîtres comme Bramante, le Bernin et Borromini métamorphosèrent le désordre médiéval en une vitrine de prestige.

◉ VOIR

◉ AREA ARCHEOLOGICA DEL TEATRO DI MARCELLO E DEL PORTICO D'OTTAVIA

Via del Teatro di Marcello 44 ; gratuit ; ⏱ 9h-19h été, 9h-18h hiver ; 🚌 Via del Teatro di Marcello

Les périodes se mélangent sur ce site archéologique. Un palais Renaissance de Baldassare Peruzzi est greffé sur le théâtre de Marcellus, achevé par Auguste et qui servit de modèle pour le Colisée. Au Portico di Ottavia (Iᵉʳ siècle av. J.-C.), les colonnes d'un temple antique sont intégrées à la Chiesa di Sant'Angelo in Pescheria – dont le nom évoque un ancien marché aux poissons.

◉ BIBLIOTECA E RACCOLTA TEATRALE DEL BURCARDO

☎ 06 681 94 71 ; www.burcardo.org ; Via del Sudario 44 ; 1,50 € ; ⏱ 9h-13h30 lun-ven ; 🚌 🚊 Largo di Torre Argentina ; ♿

Ce petit musée du théâtre méconnu réunit les costumes de grands comédiens comme Eleonora Duse, de vieilles affiches, des décors et d'exquises marionnettes chinoises du XVIIIᵉ siècle. Bibliothèque bien fournie sur le théâtre au 2ᵉ étage – la majorité des ouvrages sont en italien.

◉ CAMPO DEI FIORI

🚌 Corso Vittorio Emanuele II

Le jour, des étals de marché bigarrés s'installent sur l'unique place sans église de Rome. Le soir, "Il Campo" prend des airs de fête tandis que les fêtards se pressent dans les bars. Une statue d'Ettore Ferrari salue la mémoire de Giordano Bruno, moine hérétique qui périt ici sur le bûcher en 1600.

◉ CHIESA DEL GESÙ

☎ 06 69 70 01 ; Piazza del Gesù ; ⏱ 6h45-12h45 et 16h-19h45 ; 🚌 Largo di Torre Argentina

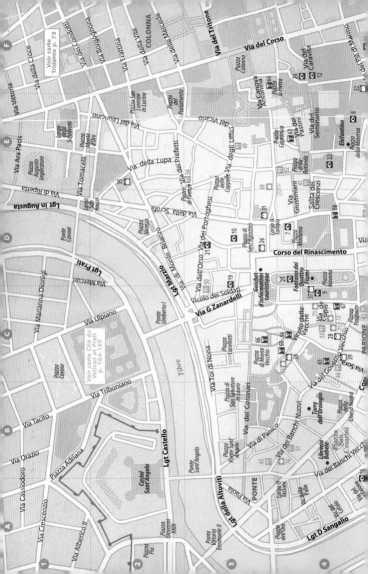

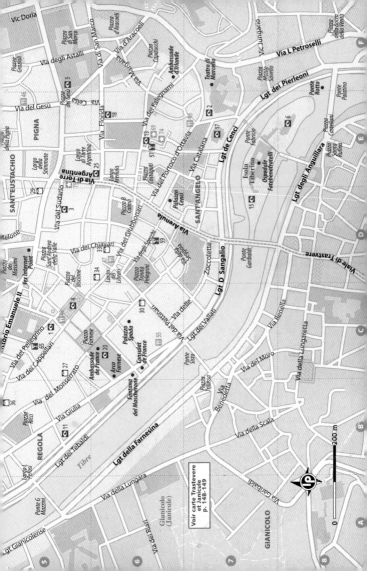

VIA GIULIA

Certes, les rues photogéniques ne manquent pas dans le centre historique. La Via Giulia (A1-C6) n'en est pas moins incontournable. Bordée de palais Renaissance et d'orangers en pots, elle fut dessinée par Bramante en 1508 pour conduire au Vatican.

À son extrémité sud, la **Fontana del Mascherone**, du XVIIe siècle, est formée d'un mascaron de marbre. À proximité, l'Arco Farnese, couvert de lierre, fut conçu selon un modèle réalisé par Michel-Ange. Il faisait partie d'un ambitieux projet inachevé qui devait relier le palais Farnèse (p. 57) à la Villa Farnèse (p. 151), de l'autre côté du Tibre. Plus au nord, sur la gauche dans la Via di Sant'Eligio, la **Chiesa di Sant'Eligio degli Orefici** (entrée Via di Sant'Eligio 7; 10h-11h lun-ven), l'église des orfèvres, du XVIe siècle, est l'œuvre de Raphaël.

Érigée au XVIe siècle, la première église jésuite de Rome arbore un style solennel en accord avec la Contre-Réforme. La voûte de la nef s'orne d'une fresque remarquable, *Le triomphe au nom de Jésus*, réalisée par Giovanni Battista Gaulli, dit le Baciccia, entre 1676 et 1679. Le monument d'Ignace de Loyola, fondateur de la Compagnie de Jésus a été conçu par Andrea Pozzo et le buste de saint Robert, œuvre du Bernin, est à gauche du maître-autel d'Antonio Sarti.

CHIESA DI SAN LUIGI DEI FRANCESI
☎ 06 68 82 71 ; Piazza di San Luigi dei Francesi ; ⏰ 8h30-12h30 et 15h30-19h30 ven-mer, 8h30-12h30 jeu ; Corso del Rinascimento

Les amateurs du Caravage sont gâtés à l'église nationale des Français de Rome, avec trois toiles du maître dans la cinquième chapelle sur la gauche. Connues sous le nom de cycle de saint Matthieu et réalisées en 1600-1602, elles illustrent la maîtrise du clair-obscur de l'artiste. Des fresques du Dominiquin (XVIIe siècle) représentant sainte Cécile occupent la deuxième chapelle sur la droite.

CHIESA DI SANTA MARIA SOPRA MINERVA
☎ 06 679 39 26 ; Piazza della Minerva ; ⏰ 8h-19h lun-dim ; Largo di Torre Argentina

Construite au XIIIe siècle à l'emplacement d'un temple de Minerve, la seule église gothique de Rome arbore des voûtes bleu électrique et des joyaux Renaissance : des fresques de Filippino Lippi, le tombeau de Fra Angelico et une audacieuse sculpture de Michel-Ange d'un Christ nu portant la Croix (le pagne de bronze est un ajout baroque). Remarquez les marques des crues sur la façade et l'*Elefantino*, sculpture du Bernin sur la place.

◎ CHIESA DI SANT'AGOSTINO

☎ 06 688 01 962 ; Piazza di Sant'Agostino ; ⏱ 7h45-12h et 16h-19h30 ; 🚌 Corso del Rinascimento

Cette église du XVᵉ siècle fut l'une des premières de Rome à présenter une façade Renaissance. Elle renferme notamment la *Madonna del Parto* (1521) du sculpteur Jacopo Sansovino, une étonnante fresque de Raphaël représentant Isaïe (1512) sur le troisième pilier de la nef et la *Madone des pèlerins* du Caravage, qui choqua par son réalisme brutal quand elle fut dévoilée en 1604.

◎ FONTANA DELLE TARTARUGHE

Piazza Mattei ; 🚌 🚋 Largo di Torre Argentina

Cette amusante petite fontaine de Taddeo Landini montre quatre garçons hissant des tortues dans une vasque. Elle aurait été créée en une nuit en 1585, pour le duc de Mattei, qui venait de dilapider sa fortune au jeu et risquait de perdre sa fiancée (on lui accorda finalement sa main). Le Bernin ajouta les tortues en 1658.

◎ GALLERIA DORIA PAMPHILJ

☎ 06 679 73 23 ; www.doriapamphilj.it ; entrée Piazza del Collegio Romano 2 ; adulte/plus de 65 ans et étudiant 8/5,70 € ; ⏱ 10h-17h ven-mer ; 🚌 Piazza Venezia ; ♿

Le Palazzo Doria Pamphilj (milieu du XVᵉ siècle), toujours habité par la famille aristocratique des Pamphilj, abrite l'une des plus riches collections privées de Rome. Des reliques de martyrs sont conservées dans la chapelle familiale, dessinée par Carlo Fontana au XVIIᵉ siècle.

L'époustouflant clair-obscur de *La Vie de saint Matthieu*, par le Caravage, dans l'église Saint-Louis-des-Français

L'architecture du Panthéon (IIe siècle) lui permet d'être baigné par la lumière naturelle

ISOLA TIBERINA
Lungotevere dei Pierleoni
L'île Tibérine, la plus petite île habitée du monde, accueillit au IIIe siècle un temple dédié à Esculape, le dieu grec de la Médecine. Les piliers du temple bordent aujourd'hui la nef de la **Chiesa di San Bartolomeo** (carte p. 41, A3 ; 9h-12h30 et 15h30-18h lun-dim), de style roman. Sur la rive sud, on voit encore les vestiges du Ponte Rotto (Pont brisé), le premier pont en pierre de Rome.

MUSEO CRIMINOLOGICO
☎ 06 683 00 234 ;
www.museocriminologico.it ; Via del Gonfalone 29 ; adulte/moins de 18 ans et plus de 60 ans 2 €/gratuit ; 9h-13h mar-sam et 14h30-18h30 mar et jeu ;
Corso Vittorio Emanuele II

Le musée de la Criminologie présente un ensemble disparate d'instruments de torture, d'armes et de couteaux de bourreau. Vous rencontrerez la "comtesse armée" et verrez de faux Picasso, des objets obscènes trouvés dans des saisies et le coffre qui servit pour le kidnapping de l'espion israélien Mordechai Louk, en 1964.

MUSEO EBRAICO DI ROMA
☎ 06 684 00 661 ; www.museoebraico. roma.it ; Lungotevere de Cenci ; adulte/ étudiant/moins de 10 ans 7,50/4 €/ gratuit ; 10h-19h dim-jeu, 9h-16h ven juin-sept, 10h-17h dim-jeu, 9h-14h ven oct-mai ; Lungotevere de Cenci
La communauté juive de Rome, dont l'histoire remonte à 2 000 ans, est la plus vieille d'Europe. Ce petit musée bien documenté présente son

patrimoine historique, culturel et artistique – au fil de délicats textiles brodés et d'objets provenant de l'Holocauste notamment. Toutes les heures, visite guidée de la splendide Grande Synagogue – la deuxième d'Europe par la taille–, achevée en 1904.

◉ MUSEO NAZIONALE ROMANO : CRYPTA BALBI

☎ 06 399 67 700 ; Via delle Botteghe Oscure 31 ; adulte/18-24 ans de l'UE/moins de 18 ans et plus de 65 ans de l'UE avec le Palazzo Altemps, le Palazzo Massimo et les Terme di Diocleziano 7/3,50 €/gratuit, supp de 3 € pour les expositions ; ⏱ 9h-19h45 mar-dim ; 🚌 Largo di Torre Argentina
Bâti autour de vestiges de constructions médiévales et Renaissance, elles-mêmes édifiées sur le théâtre de Balbus (Ier siècle), ce musée trop méconnu illustre les multiples strates de l'histoire romaine. Commencez par les fouilles souterraines, avant d'aborder l'excellente présentation de l'évolution de la ville – qui comprend des bijoux du VIe siècle et des jouets byzantins.

◉ MUSEO NAZIONALE ROMANO : PALAZZO ALTEMPS

☎ 06 683 35 66 ; Piazza Sant'Apollinare 46 ; avec la Crypta Balbi, le Palazzo Massimo et les Terme di Diocleziano adulte/18-24 ans de l'UE/moins de 18 ans et plus de 65 ans de l'UE 7/3,50 €/gratuit, supp de 3 € pour les expositions ; ⏱ 9h-19h45 mar-dim ; 🚌 Corso del Rinascimento ; ♿
Des corps divins peuplent les fresques qui ornent les salles de ce palais Renaissance exquis, gardien de la précieuse collection de sculptures classiques du cardinal Ludovico Ludovisi. Parmi les joyaux, citons le *Galate suicidaire* (copie romaine d'un original grec), le fascinant *Arès Ludovis* et le légendaire *Trône Ludovisi*, du Ve siècle av. J.-C., dont émerge Aphrodite. Pendant la période baroque, de nombreuses statues furent "améliorées" par l'ajout de membres et de têtes.

◉ PALAZZO FARNESE

☎ 06 688 92 818 ; visitefarnese@france-italia.it ; Piazza Farnese ; gratuit, interdit aux moins de 15 ans, 15-18 ans admis en compagnie d'un adulte ; ⏱ visites d'1 heure à 15h, 16h et 17h lun-jeu début sept à mi-juil ; 🚌 Corso Vittorio Emanuele II
Ce superbe palais du XVIe siècle, siège de l'ambassade de France, est l'œuvre d'Antonio da Sangallo, Michel-Ange et Giacomo Della Porta. Les époustouflantes fresques d'Annibale Carrache méritent que l'on prenne la peine de réserver une visite guidée (en français ou en italien). Pièce d'identité exigée à l'entrée ; réservation obligatoire 1-4 mois à

l'avance. Les fontaines jumelles de la Piazza Farnese étaient à l'origine des bassins géants des thermes de Caracalla (p. 133).

🅾 PANTHÉON

☎ 06 683 00 230 ; Piazza della Rotonda ; gratuit ; ⏱ 9h-19h30 lun-sam, 9h-17h30 dim ; 🚌 Largo di Torre Argentina ; ♿

Bâti par Hadrien à l'emplacement d'un temple érigé par Agrippa en 27 av. J.-C. (on voit encore le nom d'Agrippa sur une inscription du fronton), ce temple stoïcien transformé en église a subsisté depuis les alentours de l'an 120, avec ses portes en bronze d'origine. La coupole est époustouflante : parfaite demi-sphère, c'est un joyau architectural de la Rome antique. La lumière pénètre par un oculus de 9 m. Quand il pleut, l'eau s'écoule en formant une colonne, composant un spectacle irréel.

🅾 PIAZZA NAVONA

🚌 Corso del Rinascimento

Palais, fontaines extravagantes et terrasses ombragées attirant le beau monde : la place la plus emblématique de Rome se dresse sur les vestiges d'un stade antique construit par Domitien en 86 – certaines parties restent visibles depuis la Piazza di Tor Sanguigna voisine. Pavée au XVe siècle, elle fut souvent inondée lors des réjouissances populaires estivales. Son joyau demeure l'extravagante fontaine des Quatre Fleuves (Fontana dei Quattro Fiumi) du Bernin, qui représente le Nil, le Gange, le Danube et le Río de la Plata. Selon la légende, la figure du Nil se voile les yeux pour ne pas voir la **Chiesa di Sant'Agnese in Agone** (⏱ 10h-12h et 16h-19h mar-dim) de Borromini, rival du Bernin. En réalité, le geste indique simplement que la source du fleuve était alors

STATUES PARLANTES

À l'extrême est de la Piazza Pasquino (C4), une statue est couverte de morceaux de papier abîmés : il s'agit de Pasquino, la plus célèbre "statue parlante" de Rome.

Au XVIe siècle, alors qu'il était dangereux pour les dissidents de s'exprimer, un tailleur du Vatican du nom de Pasquino commença à coller sur la statue des *pasquinade* (notes), des couplets satiriques sur le clergé et l'aristocratie. Bien vite, d'autres citoyens firent de même – beaucoup travaillaient en lien avec le pape et son entourage et étaient dans le secret des scandales étouffés. Les statues parlantes se multiplièrent dans la ville.

Naturellement, la "grande bouche" de Pasquino n'avait guère la faveur des papes : Adrien VI (r. 1522-1523) envisagea de la jeter dans le Tibre, avant de renoncer à punir la pierre. Depuis des siècles, Pasquino refuse de se taire. Une nouvelle génération de *pasquinade* est aujourd'hui collée sur son socle usé.

L'art sacré de la parfumerie révélé à l'Ai Monasteri

inconnue. L'église se dresse sur le lieu du martyre de sainte Agnès.

🔵 PIAZZA SANT'IGNAZIO
🚇 **Via del Corso**

Cette place, dessinée au XVIIIe siècle par Filippo Raguzzini, évoque une scène de théâtre, pourvue de sorties dans les "ailes" situées de part et d'autre du côté nord. Elle accueille la **Chiesa di Sant'Ignazio di Loyola** (🕐 7h30-12h30 et 15h-19h15), du XVIIe siècle, dont la "coupole" s'orne d'un trompe-l'œil réalisé par Andrea Pozzo.

🛍 SHOPPING

Pour des vêtements vintage et originaux, rendez-vous Via del Governo Vecchio, et notamment chez Maga Morgana au n°27, Vestiti Usuati Cinzia au n°45 et Omero & Cecilia au n°110. La Via del Pellegrino et la Via Monserrato comptent de jolies boutiques de vêtements et accessoires branchés, des antiquaires et des bijoutiers. Vous trouverez des barrettes de cardinal et des statuettes catholiques colorées dans la Via de' Cestari et alentour.

🏠 AI MONASTERI
Articles de toilette

☎ **06 688 02 783 ; Corso del Rinascimento 72 ;** 🕐 **10h-13h et 15h-19h30 ;** 🚇 **Corso del Rinascimento**

Une boutique aux effluves divines, spécialisée dans les produits de fabrication monacale joliment emballés : liqueurs, spiritueux, savons, baumes et crèmes antirides, sans oublier l'Elixir d'Amore (élixir d'Amour), bénéfique pour la vie amoureuse.

🏠 ANTICHI KIMONO
Mode, accessoires

☎ **06 681 35 876 ; www.antichikimono. com en italien ; Via del Monserrato 43b ;** 🕐 **16h-20h lun, 10h30-13h30 et 16h-20h mar-sam ;** 🚇 **Corso Vittorio Emanuele II**

La créatrice romaine Gloria Gobbi réalise des corsets et des sacs avec de vieux *obis* japonais et des manteaux à partir de tapis d'Ouzbékistan. Elle vend aussi des bijoux artisanaux éclectiques, ainsi que des accessoires ravissants, conçus par des artisans européens. Petit choix de foulards en soie et d'accessoires originaux pour homme.

🏠 ARSENALE *Mode*
☎ 06 686 13 80 ; Via del Governo Vecchio 64 ; ⏱ 15h30-19h30 lun, 10h-19h30 mar-sam ; 🚌 Corso Vittorio Emanuele II
Les victimes de la mode craquent pour la simplicité branchée d'Arsenale, qui distribue les lignes élancées et structurées de la Romaine Patrizia Pieroni. Tissus divins et style hors du commun – de quoi épater lors d'un vernissage.

🏠 BORINI *Chaussures*
☎ 06 687 56 70 ; Via dei Pettinari 86-87 ; ⏱ 15h30-19h30 lun, 9h30-13h et 15h30-19h30 mar-sam ; 🚌 🚇 Via Arenula
Faites fi du cadre ringard : on se presse dans cette boutique sans prétention pour dénicher des chaussures parmi les plus originales de la ville. La mode est ici chez elle, à des tarifs raisonnables, dans des coloris ravissants.

🏠 CITTÀ DEL SOLE *Jouets*
☎ 06 688 03 805 ; Via della Scrofa 65 ; ⏱ 10h-19h30 mar-sam, 11h-19h30

La confiserie Moriondo & Gariglio confectionne des chocolats selon des recettes anciennes

dim, 15h30-19h30 lun ; 🚌 **Corso del Rinascimento**
Des jouets éducatifs bien conçus, classés dans des catégories comme "imagination et créativité" ou "faire du théâtre". Les bambins pourront s'essayer à des mini-puzzles inspirés d'Escher ou réveiller le Bramante qui est en eux, en testant leurs talent sur une maquette de basilique.

🏠 CONFETTERIA MORIONDO & GARIGLIO *Confiserie*
☎ **06 699 08 56 ; Via del Piè di Marmo 21-22 ;** 🕑 **9h-19h30 lun-sam sept-juin, 9h-19h30 lun-ven, 9h-15h sam juil ;** 🚌 **Via del Corso**
Conquis par cette confiserie désuète – fondée par des confiseurs de la maison de Savoie –, le poète romain Trilussa lui dédia plusieurs sonnets. Certains des chocolats et des bonbons artisanaux sont toujours fabriqués suivant des recettes du XIXe siècle.

🏠 IBIZ – ARTIGIANATO IN CUOIO *Accessoires*
☎ **06 683 07 297 ; Via dei Chiavari ;** 🕑 **9h30-19h30 lun-sam ;** 🚌 **Corso Vittorio Emanuele II**
Dans leur minuscule échoppe, Elisa Nepi et son père fabriquent de ravissants articles en cuir, chics et classiques ou originaux et contemporains, proposés à prix doux – sacs à main incrustés de pistaches, élégantes sacoches pour

ordinateur portable, trousse de toilette en cuir artisanale, etc.

🏠 MCQUEEN 72 *Chaussures*
☎ **06 686 91 04 ;** **www.mcqueenstoreinfo.spaces.live. com en italien ; Via dei Giubbonari 72 ;** 🕑 **15h30-20h dim-lun, 10h30-13h30 et 15h30-20h mar-sam ;** 🚌 🚌 **Via Arenula**
L'une des sélections de tennis les plus branchées de Rome : éditions limitées de chez Diadora Deluxe, Reebok et New Balance, créations hollandaises de chez Patta ou new-yorkaises de chez A-live. Vêtements de ville chics à l'étage. Réductions sur présentation d'une carte d'étudiant.

🏠 MERCATO DELLE STAMPE *Antiquités*
Largo della Fontanella di Borghese ; 🕑 **9h-17h lun-sam ;** 🚌 **Piazza Augusto Imperatore**
Les amateurs de vieux livres et d'estampes anciennes visiteront ces quelques étals en semaine, quand la foule est moindre et les vendeurs plus disponibles.

🏠 MONDELLO OTTICA *Accessoires*
☎ **06 686 19 55 ; www.mondelloottica. it ; Via del Pellegrino 97-98 ;** 🕑 **9h30-13h et 16h-19h30 mar-sam ;** 🚌 **Corso Vittorio Emanuele II**
Les lunettes de soleil sont de rigueur sur les places. Vous trouverez ici des

BASSETTI TESSUTI

Caché dans un palais sinistré, **Bassetti Tessuti** (☎ 06 689 23 26 ; Corso Vittorio Emanuele II 73 ; 15h30-19h30 lun, 9h-13h et 15h30-19h30 mar-sam) est un vaste temple des textiles en technicolor. Des riches laines et soies italiennes aux fausses fourrures de guépard, quelque 200 000 tissus bordent une mer interminable de pièces pleines à craquer. Deux frères, Emidio et Lorenzo Bassetti, fondèrent en 1954 cette boutique autant destinée à la crème de la mode qu'aux femmes d'intérieur. On remonte le temps dans ce lieu de caractère, face aux sols en lino et au contact d'hommes âgés poussant des chariots entiers de tissus rares et somptueux.

modèles de choix d'Anne et Valentin, d'IC-Berlin, d'Oliver Peoples, de Cutler and Gross et du créateur belge Theo. Les lunettes de vue peuvent être prêtes dans la journée.

🏠 NARDECCHIA *Antiquités*
☎ 06 686 93 18 ; **Piazza Navona 25 ;** 16h30-19h30 lun, 10h-13h et 16h30-19h30 mar-sam ; 🚌 **Corso del Rinascimento**
Nardecchia est renommé pour les estampes anciennes, des belles gravures de Rome réalisées au XVIIIe siècle par Giovanni Battista Piranesi aux vues du XIXe siècle – plus abordables.

🏠 RETRO *Design*
☎ 06 681 92 746 ; **www.retrodesign. it ; Piazza del Fico 20 ;** 16h-20h lun, 11h-13h et 16h-20h mar-sam ; 🚌 **Corso del Rinascimento**
Des rangées d'objets en verre colorés de l'entre-deux-guerres, des meubles de créateurs légendaires, des bijoux en bakélite et de vieux dessins d'architectes.

🏠 TEMPI MODERNI *Bijoux*
☎ 06 687 70 07 ; **Via del Governo Vecchio 108 ;** 10h-13h30 et 16h-19h30 lun-ven, 10h-19h30 sam ; 🚌 **Corso Vittorio Emanuele II**
Des bijoux fantaisie vintage incontournables : breloques Art nouveau et Art déco, bracelets pop des années 1960 ou modèles élaborés de maisons comme Balenciaga et Dior. À assortir à de vieux vêtements de créateurs, dont des manteaux de chez Armani datant des années 1970.

🍴 SE RESTAURER
Des audacieuses tables étoilées aux pizzerias sans prétention : il y en a pour tous les goûts et toutes les bourses au centre historique. Pour découvrir la cuisine juive à la romaine, suivez les effluves dans la Via del Portico d'Ottavia.

🍴 ALFREDO E ADA *Trattoria* €
☎ 06 687 88 42 ; **Via dei Banchi Nuovi 14 ;** 20h-23h lun-ven ; 🚌 **Corso Vittorio Emanuele II**

Remontez le temps dans cette trattoria en bois dépourvue de carte, où l'on mange ce qu'Ada veut bien nous servir – des plats simples et savoureux, comme les pâtes à la tomate où la *salsiccia con fagioli* (saucisse-haricots). Au dessert, la boîte de gâteaux d'Ada est légendaire. Pas de carte de crédit.

🍴 ARMANDO AL PANTHEON
Trattoria   €€
☎ 06 688 03 034 **; Salita dei Crescenzi 31 ;** ⏱ **12h30-15h et 19h-23h lun-ven, 12h30-15h sam sept-juil ;** 🚌 🚊 **Largo di Torre Argentina**
Malgré l'emplacement touristique et le prestige d'anciens clients (comme Jean-Paul Sartre et Pelé), cette enseigne familiale conserve un service authentique et des plats généreux, comme le succulent canard rôti aux pruneaux et le fameux *torta antica romana* (gâteau à la romaine).

🍴 CASA BLEVE *Bar à vins*   €€
☎ 06 686 59 70 **; Via del Teatro Valle 48-49 ;** ⏱ **13h-15h mar et sam, 13h-15h et 19h-22h mer-ven sept-juil ;** 🚌 🚊 **Largo di Torre Argentina**
Idéal pour un rendez-vous romantique ou épicurien, la très chic Casa Bleve possède une cour bordée de colonnes et un toit en verre. La carte des vins, tout aussi séduisante, se marie avec

d'exceptionnels *salumi* (assiettes de charcuterie), du pain cuit au feu de bois, des fromages sublimes et des roulades divines.

🍴 CUL DE SAC *Bar à vins*   €€
☎ 06 688 01 094 **; Piazza Pasquino 73 ;** ⏱ **12h-16h et 18h-0h30 lun-sam ;** 🚌 **Corso Vittorio Emanuele II**
Les Français adorent cette petite *enoteca* sans prétention, qui offre 1 500 crus internationaux et une cuisine d'inspiration hexagonale – pâté maison, copieuse soupe à l'oignon, etc. Si vous venez après 20h, appelez au préalable pour limiter l'attente.

🍴 DA BAFFETTO *Pizzeria*   €
☎ 06 686 16 17 **; Via del Governo Vecchio 114 ;** ⏱ **18h30-1h ;** 🚌 **Corso Vittorio Emanuele II**
Rendez-vous des radicaux dans les années 1960, cet établissement sans chichis est un exemple de vraie pizzeria romaine – avec une clientèle bruyante, des meubles patinés et des pizzas fumantes à la pâte fine.

🍴 DA GIGGETTO *Trattoria*   €€
☎ 06 686 11 05 **; Via del Portico d'Ottavia 21-22 ;** ⏱ **12h30-15h et 19h30-23h mar-dim ;** 🚌 🚊 **Piazza Benedetto Cairoli**
Cette institution du ghetto renommée pour ses *carciofi* (artichauts) frits et ses *fiori di*

CENTRO STORICO

PLACE SECRÈTE

Au n°19 de la Via del Pellegrino, on parvient à un passage sombre appelé **Arco degli Acetari** (passage des Vinaigriers). Au-delà, une cour médiévale magique est flanquée de façades acidulées ornées de balcons fleuris et d'escaliers couverts de lierre se déversant sur la place pavée. Peu de visiteurs viennent jusqu'ici, mais l'endroit est immortalisé sur de nombreux souvenirs.

zucca (fleurs de courgette frites accompagnées d'anchois) offre une bonne introduction à la cuisine juive à la mode romaine. Les tables en extérieur côtoient les vestiges du portique d'Octavie (Ier siècle).

🍴 ENOTECA CORSI *Bar à vins* €

☎ 06 679 08 21 ; Via del Gesù 87 ; 🕐 12h-15h30 lun-sam ; 🚌 🚋 Largo di Torre Argentina

Rome à l'ancienne – jusqu'aux *cacio e pepe* (pâtes au fromage et au poivre) servies sur des tables en bois. Ici, les ingrédients sont frais, et, sur l'ardoise, la carte suit le programme culinaire – gnocchis le jeudi et *baccalà* (morue) le vendredi. Venez tôt pour éviter la queue.

🍴 FILETTI DI BACCALÀ
Trattoria
€

☎ 06 686 40 18 ; Largo dei Librari 88 ; 🕐 17h-22h30 lun-sam ; 🚌 🚋 Via Arenula

Une vieille enseigne spécialisée dans les légumes panés croustillants en accompagnement du filet de cabillaud.

🍴 FORNO DI CAMPO DE' FIORI *Pizza à la part*
€

☎ 06 688 06 662 ; Campo dei Fiori 22 ; 🕐 7h-13h30 lun-sam, plus 17h30-20h lun-mer, ven-sam ; 🚌 Corso Vittorio Emanuele II

Sur la place du marché du Campo dei Fiori, cette boulangerie toujours animée sert de savoureuses *pizze al taglio* (pizzas à la part). Choisissez une ou plusieurs parts (la *pizza rossa*, à la sauce tomate et arrosée d'huile d'olive est délicieuse), ajoutez une *occhio di bue* (tartelette à la confiture d'abricot), et savourez le tout sur la place.

🍴 GIOLITTI *Pâtisserie*
€

☎ 06 699 12 43 ; Via degli Uffici del Vicario 40 ; 🕐 7h-1h30 ; 🚌 Via del Corso

Gregory Peck et Audrey Hepburn avaient raison de s'arrêter chez Giolitti dans *Vacances romaines* : jouez des coudes au milieu des hordes de touristes pour déguster de délicieux sorbets aux parfums naturels (la poire est incontournable) ou des glaces plus riches, comme celles aux marrons glacés et à la noisette.

IL CONVIVIO TROIANI
Restaurant €€€

☎ 06 686 94 32 ; www.ilconviviotroiani.com ; Vicolo dei Soldati 31 ; ⏱ 20h-23h lun-sam ; 🚌 Corso del Rinascimento

Niché dans un palais du XVIe siècle, ce restaurant élégant étoilé au Michelin est un paradis des gourmets à la mode progressiste – calmars sautés à la citronelle accompagnés de tomates confites et de polenta au réglisse, pigeon rôti en casserole aux feuilles de laurier et au poivre vert servi avec une salade de pêche épicée, etc. Réservation indispensable.

LA ROSETTA
Poisson et fruits de mer €€€

☎ 06 686 10 02 ; www.larosetta.com ; Via della Rosetta 8-9 ; ⏱ 12h45-14h45 et 19h30-23h lun-sam, 12h30-15h dim ; 🚌 🚻 Largo di Torre Argentina

De merveilleux fruits de mer et un service admirable mais sans chichis. La réservation est indispensable dans cet établissement légendaire. Au programme : des plats innovants, simples et admirablement préparés, comme le loup cru à l'orange et la salade de homard catalan aux oignons frits.

L'ALTRO MASTAI
Restaurant €€€

☎ 06 683 01 296 ; www.laltromastai.it ; Via G Giraud ; ⏱ 19h30-23h30 mar-sam sept-juil ; 🚌 Corso Vittorio Emanuele II

Fabio Baldassare régale les palais en revisitant les spécialités italiennes. Le résultat : ris de veau à l'ananas glacé avec une purée de chardons et de marrons, risotto à la mortadelle avec des huîtres et des pistaches, etc. Et pour couronner le tout : la grande et belle carte des vins du sommelier Salvatore Rotella.

LO ZOZZONE *Pizza à la part* €

☎ 06 688 08 575 ; Via del Teatro Pace 32 ; ⏱ 9h-21h lun-ven, 10h-23h sam, 11h30-17h30 dim ; 🚌 Corso del Rinascimento

Des *pizze rustiche* servies dans un cadre sans prétention – paiement à la caisse. Vous pourrez opter pour une *pizza bianca* (pizza à l'huile d'olive et au sel marin), petite ou grande, et arroser le tout avec une bonne bière – à déguster de préférence en extérieur, sur une table minuscule.

OBIKÀ *Bar à mozzarella* €€

☎ 06 683 26 30 ; www.obika.it ; Piazza di Firenze ; ⏱ 12h-23h30 lun-ven, 12h30-15h30 et 19h-24h sam-dim ; 🚌 Corso del Rinascimento

Dans un décor urbain mêlant brique et sols lumineux, le "bar à mozzarella" de Rome, toujours branché, propose d'appétissantes variations sur ce fromage blanc – livraison quotidienne en provenance de Campanie. Ne manquez pas la recette *affumicato* (fumée), et gardez de la place pour le copieux brunch du week-end.

Dégustez votre café debout, dans la pure tradition italienne, au Caffè Sant'Eustachio

🍽 THIEN KIM *Vietnâmien* €€

☎ 06 683 07 832 ; Via Giulia 201 ;
🕐 dîner 20h-23h30 lun-sam ; 🚌 🚊 **Via Arenula**

Ce petit restaurant vietnamien douillet est sans doute le plus authentique de Rome. Sous des œuvres d'art dénichées au marché aux puces, on se délecte notamment de crevettes au gingembre et de raviolis aux saveurs sublimes, farcis aux champignons, au porc et aux oignons.

🍸 PRENDRE UN VERRE

Les touristes adorent passer la soirée au Campo dei Fiori. Pourtant, le centre historique offre dans son ensemble un mélange de bars éclectique, des paisibles bars à vins éclairés aux chandelles aux lounges contemporains chics.

🍸 BAR DELLA PACE *Café, bar*

☎ 06 686 12 16 ; Via della Pace 5 ;
🕐 16h-3h lun, 8h30-3h mar-dim ;
🚌 **Corso Vittorio Emanuele II**

Un café Art nouveau toujours tendance, doté d'une façade couverte de lierre, de tables en terrasse qui invitent à prendre le temps de lire et d'un intérieur douillet tout en bois et doré, que fréquentait jadis le sculpteur danois Bertel Thorvaldsen.

🍸 BARTARUGA *Bar*

☎ 06 689 22 99 ; Piazza Mattei 9 ;
🕐 17h-0h30 lun-jeu, 17h-2h ven-sam ;
🚌 🚊 **Via Arenula**

Avec son cadre faussement baroque (vieux divans, tissus pourpres et lustres vénitiens), ce bar classique du Ghetto attire le beau monde, les coqueluches du monde du théâtre et un public bohème. Les cartes de crédit ne sont pas acceptées.

☿ CAFFÈ SANT'EUSTACHIO
Bar

☎ 06 686 13 09 ; Piazza Sant'Eustachio 82 ; ⏱ 8h30-1h dim-jeu, 8h30-1h30 ven, 8h30-2h sam ; 🚌 Corso del Rinascimento
Dans ce bar, le café, à déguster debout et préparé selon une méthode spécifique, est légendaire – les *baristi* (barmen) se retournent pour préparer la recette secrète. Attention : on devient vite accro à ce breuvage servi sucré (précisez si vous le préférez *amaro* – amer –, ou *poco zucchero* – peu sucré), avec de la mousse.

☿ CRUDO *Bar, restaurant*

☎ 06 683 89 89 ; www.crudoroma.it en italien ; Via degli Specchi 6 ; ⏱ lounge 19h30-2h, restaurant 12h30-15h30 et 20h-24h lun-sam ; 🚌 Via Arenula
Le Crudo attire un public branché grâce à un mobilier contemporain, des œuvres d'art vidéo et la présence

d'un mixologue primé. Une cuisine savoureuse est servie dans un cadre intimiste à l'étage, mais rien ne vaut l'ambiance du lounge-bar aux lumières tamisées, décoré de peintures urbaines, qui propose un *aperitivo* (apéritif) redoutable et accueille une clientèle élégante.

☿ ETABLÌ *Bar à vins, restaurant*

☎ 06 687 14 99 ; Vicolo delle Vacche ; ⏱ 18h-2h mar-dim ; 🚌 Corso del Rinascimento
Ce lounge-bar-restaurant calme et ultrabranché accueille une clientèle citadine détendue dans un décor mêlant antiquités françaises, lustres et cheminée. Glissez-vous dans un fauteuil avec un verre de vin rouge pour grignoter de fabuleux *aperitivi*, ou savourez la nouvelle cuisine méditerranéenne des patrons italo-chiliens.

☿ FLUID *Bar*

☎ 06 683 23 61 ; Via del Governo Vecchio 46 ; ⏱ 18h-2h ; 🚌 Corso del Rinascimento

KING KONG À LA ROMAINE

Dans son roman *Le Faune de marbre*, Nathaniel Hawthorne raconte une anecdote romaine : un singe, ayant arraché un bébé à son berceau, le porta au sommet d'une tour médiévale, en le faisant tourner comme un sac à main. Les parents du bébé implorèrent la Vierge Marie de leur apporter son aide, en promettant de lui construire un sanctuaire si elle sauvait le nourrisson. La Vierge accepta, le singe redescendit le bébé et les parents respectèrent leur promesse. La tour appartient au **Palazzo Scapucci** (Via dei Portoghesi 18). Une statue de Marie est perchée au sommet.

Le décor de ce bar très fréquenté en soirée : des tabourets cubiques rutilants, un soupçon de Gucci pour le glamour et des sols transparents. La clientèle est élégante et bavarde et les boissons, bien préparées et au prix juste (la spécialité de la maison : la Sauterelle – *Grasshopper*). DJ pour l'ambiance.

IL GOCCETTO *Bar à vins*
☎ 06 686 42 68 ; **Via dei Banchi Vecchi 14 ;** 11h-14h et 18h-24h lun-sam ; **Corso Vittorio Emanuele II**
Dans cet établissement tout en bois, une clientèle d'habitués haute en couleurs – du Vénitien un peu ivre au producteur de télévision impertinent – palabre, plaisante avec les patrons et explore la belle carte des vins du bar.

LA TAZZA D'ORO *Bar*
☎ 06 679 27 68 ; **Via degli Orfani 84-86 ;** 7h-20h lun-sam ; **Via del Corso**
La "Tasse d'or" sert l'un des meilleurs cafés de la capitale – diablement bon. Parmi ses spécialités, citons le granité de café (*granita di caffè*), un café sucré avec de la glace pilée, servi avec une bonne dose de crème, au fond et sur le dessus – si vous préférez n'avoir de la crème qu'au dessus/fond, demandez-le *solo sopra/sotto*.

SALOTTO 42 *Bar*
☎ 06 678 58 04 ; **www.salotto42.it en italien ; Piazza di Pietra 42 ;** 10h-2h mar-sam, 10h-24h dim ; **Via del Corso**

Face à 11 colonnes corinthiennes géantes héritées d'un temple d'Hadrien depuis longtemps disparu, ce lounge-bar est fermement ancré dans la modernité – salons en daim, papier argenté et livres de design aux murs. Les cocktails sont efficaces, à l'image du Basil épicé (vodka, fraise, piment et basilic).

SCIAM *Bar, restaurant*
☎ 06 683 08 957 ; **Via del Pellegrino 55 ;** 16h-2h ; **Corso Vittorio Emanuele II**
Sous des lampions colorés, dans un décor de casbah, rejoignez les expatriés et les Romains dans le vent qui viennent siroter un thé à la menthe, grignoter des mezze ou fumer le narguilé (7 €) en jouant au backgammon.

SOCIÉTÉ LUTÈCE *Bar*
☎ 06 683 01 472 ; **Piazza di Monte Vecchio 17 ;** 18h-2h mar-dim ; **Corso del Rinascimento**
Comme son cousin du Trastevere, le Freni e Frizioni (p. 159), le Société Lutèce reste l'un des bars les plus animés de la ville à l'heure de l'apéritif. La clientèle décontractée semble tout droit sortie des Beaux-Arts. Installez-vous à l'intérieur ou sur la minuscule place.

STARDUST *Bar*
☎ 06 686 89 86 ; **Via Santa Maria dell'Anima 52 ;** 12h-2h lun-sam ; **Corso del Rinascimento**

La bohème adore le bar légendaire d'Anna, orné de photos grand format de l'Iranienne Arash et bercé par des mélodies allant de Chopin au jazz cubain. Cuisine de bistrot (19h-22h) pour les petits creux et brunch le dimanche (12h-17h) prisé des habitués.

⭐ SORTIR

⭐ ACANTO BENESSERE DAY SPA *Spa*

☎ 06 681 36 602 ; www.acantospa.it ; Piazza Rondinini 30 ; massage 1 heure 95 € ; 🕐 12h-21h lun, 10h-21h mar-sam ; 🚌 Corso del Rinascimento

Avec son entrée futuriste dessinée par Marco et Luigi Giammetta, cet établissement invite à se détendre dans un cadre design. Il offre un choix divin de soins faciaux et de massages, un hammam au plafond voûté et des traitements de grand luxe comme les bains au lait pour deux aux infusions de fleurs. Réservation conseillée 48 heures à l'avance, surtout pour le week-end.

⭐ ACQUA MADRE HAMMAM *Hammam*

☎ 06 686 42 72 ; www.acquamadre. it ; Via di Sant'Ambrogio 17 ; hammam adulte/15-26 ans/moins de 14 ans 50/25 €/gratuit, massage de 50 min à partir de 50 € ; 🕐 14h-19h avec dernière sortie à 21h mar, 11h-19h avec dernière sortie à 21h jeu et sam, réservé aux femmes 11h-19h avec dernière sortie à 21h mer, ven et dim ; 🚌 🚇 Via Arenula

Dans ce nouvel hammam chic, les citadins fatigués passent par le *tepidarium* (salle tiède), le *caldarium* (salle chaude) puis le *frigidarium* (salle froide), ou s'abandonnent à des massages sublimes ou à des soins de beauté. Les nouveaux venus devront acheter un gant et des sandales (10 €). Maillots de bain (10 €) pour les hommes. Réservation de rigueur.

⭐ ANIMA *Discothèque*

☎ 06 688 92 806 ; Via di Santa Maria dell'Anima 57 ; 🕐 19h-4h mar-dim ; 🚌 Corso Vittorio Emanuele II

BILLETS ET RÉSERVATIONS

Les tarifs des pièces et des concerts varient selon les lieux et les artistes. Beaucoup d'hôtels se chargent des réservations. Vous pourrez aussi contacter directement le lieu concerné. Sinon, essayez les agences suivantes :

> **Hellò Ticket** (☎ 800 90 70 80, 06 480 78 400 ; www.helloticket.it en italien)
> **Orbis** (carte p. 93, B2 ; ☎ 06 474 47 76 ; Piazza dell'Esquilino 37 ; 🕐 9h30-13h et 16h-19h30 lun-ven, jusqu'à 13h sam)
On peut aussi réserver des places de concert dans les grands magasins de musique, comme **Messaggerie Musicali** (carte p. 73, B4 ; ☎ 06 679 81 97 ; Via del Corso 123).

CHATS ABANDONNÉS CHERCHENT REFUGE

Certes, les chats sont aussi emblématiques de Rome que le Colisée. Toutefois, la vie n'est pas rose pour de nombreux félins romains. Rien qu'au cours de l'été 2007, 400 chatons ont été abandonnés au **refuge pour chats de la Torre Argentina** (☎ 06 687 21 33 ; www.romancats.com ; Via di Torre Argentina ; 🕑 12h-18h lun-sam). La stérilisation est l'objectif premier du refuge, qui se charge aussi de soigner les chats malades ou blessés et de leur trouver un toit.

Le centre occupe en partie un temple romain dans l'Area Sacra di Largo di Torre Argentina – non loin du lieu où Jules César fut assassiné en 44 av. J.-C. –, temple qui demeure en grande partie enfoui. Pour en découvrir l'histoire dans les grandes lignes, participez à la visite du refuge organisée tous les jours à 17h. Elle est gratuite, mais un don sera apprécié.

Faussement baroque, Anima attire une clientèle branchée et mélangée. Venez tôt pour profiter des bons cocktails, ou tard pour vous trémousser sur une piste bondée – rythmes funk, R&B, soul ou reggae. Soirée *aperitivo* (apéritif) le dimanche.

⭐ **BLOOM** *Bar, discothèque*
☎ 06 688 02 029 ; Via del Teatro Pace 29-30 ; 🕑 habituellement 19h-3h lun, mar, jeu-sam sept-juin ; 🚌 Corso Vittorio Emanuele II
Éclairage Philippe Starck et clientèle jeune, adepte des marques :
voici qui plante le décor dans ce bar-restaurant-club installé dans une chapelle du XIVe siècle. Cuisine italo-asiatique et cocktails. Soirées discothèque "*bump'n'grind*" vendredi et samedi.

⭐ **LA MAISON** *Discothèque*
☎ 06 683 33 12 ; www.lamaisonroma. it ; Vicolo dei Granari 4 ; 🕑 23h-4h

mer-dim sept-mai, ven-sam juin-août ;
🚌 Corso Vittorio Emanuele II
Les lustres en cristal, les banquettes en velours et une ambiance de palais confèrent une atmosphère décadente à cet établissement pour trentenaires victimes de la mode. Musique commerciale et ambiance trépidante – si vous passez l'entrée. La foule arrive vers 2h.

⭐ **MODO** *Bar, Discothèque*
☎ 06 686 74 52 ; http://modo.roma. it ; Vicolo del Fico 3 ; 🕑 19h-2h mar-dim sept-juil ; 🚌 Corso Vittorio Emanuele II
Au Modo, le design s'exprime jusqu'aux murs noirs et aux lounges minimalistes modulaires. Des DJ de talent succèdent à des concerts de musique relaxante.

⭐ **RIALTOSANTAMBROGIO**
Centre social
☎ 06 681 33 640 ;
www.rialtosantambrogio.org en italien ;

Via di Sant'Ambrogio 4 ; gratuit-5 € ; ⊙ variables sept-juil ; 🚍 🚊 Via Arenula

Ce centre social du ghetto aux faux airs d'école des beaux-arts propose un mélange de spectacles artistiques, de films, de théâtre, de musique live et une programmation de DJ efficace. Programme sur le site Internet.

⭐ TEATRO ARGENTINA
Théâtre

☎ 06 688 04 601 ; www.teatrodiroma. net en italien, réservations en ligne sur www.hello ticket.it en italien ; Largo di Torre Argentina 52 ; billets 11-27 €, tarifs réduits jeu ; ⊙ billetterie mar-dim les jours de spectacle ; 🚍 🚊 Largo di Torre Argentina

Fondée en 1792, la diva des théâtres de Rome est un établissement impressionnant, doté de loges aux rideaux rouges et de fresques ornées de guirlandes au plafond. C'est ici qu'eut lieu la première du *Barbier de Séville* de Rossini. La programmation, majoritairement en italien, va aujourd'hui de Shakespeare à Ray Bradbury. Elle comprend aussi de grands spectacles de danse – réservation conseillée.

⭐ WONDERFOOL *Spa*

☎ 06 688 92 315 ; www.wonderfool. it ; Via dei Banchi Nuovi 39 ; ⊙ 10h-20h mar-sam, 12h-20h dim ; 🚍 Corso Vittorio Emanuele II

Dotée d'un intérieur luxueux, la première retraite urbaine réservée aux hommes de Rome offre un spa, les services d'un coiffeur à l'ancienne et d'un tailleur napolitain, et un bon magasin de produits de beauté. Choix divin de soins et de massages (massage réflexologique de 55 min à 85 €). Réservation indispensable.

>TRIDENTE

Le Tridente affiche un luxe décomplexé. Dans ce quartier prisé des starlettes où se dresse le prestigieux escalier de la Trinité-des-Monts, il n'est pas rare de croiser une limousine. Les amateurs de mode affluent Via dei Condotti, les célébrités prennent un verre au Stravinsky Bar et les palais délicats profitent du panorama sur la ville offert par l'Imàgo. Le quartier semble indissociable des grands noms : Goethe écrivit Via del Corso, Keats tira sa révérence sur la Piazza di Spagna et Fellini mena la *dolce vita* dans la Via Margutta.

Véritable joyau néoclassique, la Piazza del Popolo surplombe le Tridente. La Chiesa di Santa Maria del Popolo renferme des toiles de grands maîtres comme le Caravage, Raphaël, Bramante et le Bernin. Depuis la place, la Via di Ripetta rejoint vers le sud le Museo dell'Ara Pacis de Richard Meier. Haut lieu de la mode, la Via del Babuino va jusqu'à la célèbre Piazza di Spagna. L'artère principale, la Via del Corso, s'élance vers la Piazza Venezia ; émaillée de grandes chaînes, elle attire aussi les adolescents.

TRIDENTE

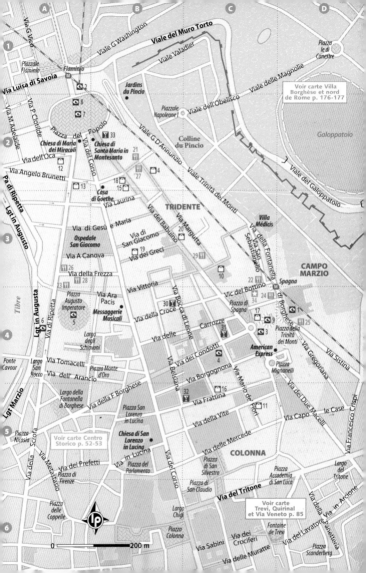

◉ VOIR

◉ CHIESA DI SANTA MARIA DEL POPOLO

☎ 06 361 08 36 ; Piazza del Popolo ; ⏱ 7h-12h et 16h-19h lun-sam, 8h-13h30 et 16h30-19h30 dim ; Ⓜ Flaminio

Cette église du XVe siècle s'enorgueillit de posséder une voûte ornée de fresques du Pinturicchio, deux toiles du Caravage, les premiers vitraux de Rome (1509) dans l'abside dessinée par Bramante et l'élégante chapelle Chigi, conçue par Raphaël et achevée par le Bernin près d'un siècle plus tard, au milieu du XVIIe siècle. En 1099, le pape Pascal II fit ériger ici une chapelle pour chasser l'esprit de Néron, dont on pensait qu'il se logeait dans un noyer. L'arbre fut abattu et ses cendres, dispersées dans le Tibre.

◉ MAISON KEATS-SHELLEY

☎ 06 678 42 35 ; www.keats-shelley-house.org ; Piazza di Spagna 26 ; 3,50 € ; ⏱ 9h-13h et 15h-18h lun-ven, 11h-14h et 15h-18h sam ; Ⓜ Spagna

C'est dans la maison Keats-Shelley que John Keats poussa à 25 ans son dernier soupir, en février 1821. L'année suivante, Percy Bysshe Shelley, son compagnon de plume,

Le Museo dell'Ara Pacis, réalisation moderniste de Meier, fait parler de lui

LE SCANDALE MEIER

Qu'on aime ou non le monument, on ne peut ignorer le tollé soulevé par le Museo dell'Ara Pacis (ci-dessous) de Richard Meier. La controverse prit forme en 1999, quand le maire de l'époque, Francesco Rupelli, annonça que l'architecte américain allait concevoir le premier grand bâtiment civil à voir le jour dans le centre historique en plus d'un demi-siècle. Beaucoup de Romains s'indignèrent que cet honneur revienne à un étranger. Plus vexant encore, Meier n'eut pas à concourir pour le projet, puisqu'on lui offrit le chantier. En 2005, deux ans après l'achèvement du chantier, 35 architectes italiens rédigèrent une lettre ouverte condamnant "l'invasion" des créateurs étrangers sur la scène locale.

Quant au bâtiment, on le compara aussi bien à un cercueil qu'à une station-service. Un journaliste le jugea "ridiculement démesuré" et en 2008, le nouveau maire de droite, Gianni Alemanno, affirma qu'il envisageait de le déplacer en banlieue. Le célèbre critique d'art Vittorio Sgarbi risque fort d'approuver ce coup de théâtre d'Alemanno : il avait qualifié la réalisation de Meier de "fosse d'aisance indécente d'un architecte inutile", tout en brûlant une maquette pour soutenir son propos.

se noyait sur la côte toscane. Comme figées dans le passé, les pièces regorgent de souvenirs des courtes vies des poètes, dont des lettres de Mary Shelley et le masque mortuaire de Keats.

⊙ MUSEO DELL'ARA PACIS
☎ 06 820 59 127 ; www.arapacis.it ; Lungotevere in Augusta ; adulte/18-25 ans de l'UE/moins de 18 ans et plus de 65 ans de l'UE 6,50/4,50 €/gratuit ; ⊙ 9h-19h mar-dim ; ⊟ Lungotevere in Augusta

Protégé par le pavillon moderniste de Richard Meier (voir aussi l'encadré, ci-dessus), l'Ara Pacis Augustae (autel de la Paix), du Ier siècle av. J.-C., est un chef-d'œuvre de marbre, orné de délicieux bas-reliefs en l'honneur de la paix ramenée par l'empereur

Auguste. De l'autre côté de la rue, le **mausolée d'Auguste** (Mausoleo di Augusto), jadis somptueux, fut bâti en 28 av. J.-C. pour accueillir les dépouilles de l'empereur et de son neveu préféré, Marcellus. Il devrait être restauré par l'architecte Francesco Cellini.

⊙ PIAZZA DEL POPOLO
Ⓜ Flaminio

La "place du Peuple" (XVIe siècle), où avaient lieu autrefois des exécutions publiques, fut réaménagée au XIXe siècle par Giuseppe Valadier. Après avoir observé les différences entre les deux églises baroques de Carlo Rainaldi, passez la **Porta del Popolo**, décorée par le Bernin. Du côté nord de la place, elle vit passer de nombreuses célébrités.

LA PATTE DU CRÉATEUR

Oubliez les sacs à main. La vedette du nouveau magasin **Louis Vuitton** (☎ 06 699 40 000 ; www.louisvuitton.com ; Via dei Condotti 13 ; ⏱ 10h-19h30 lun-sam, 11h-19h30 dim) de Rome est un sensationnel escalier couvert d'écrans plasma. Basé sur un concept de l'architecte new-yorkais Peter Marino, il constitue un véritable tour de force visuel. En quelques secondes, il passe du serpent psychédélique au torrent en technicolor. Pour en profiter au mieux, venez après la fermeture, quand l'escalier est vide et la technologie, saisissante.

⊙ ESCALIER DE LA TRINITÉ-DES-MONTS

Ⓜ **Spagna**

Achevé en 1725, l'escalier le plus célèbre de Rome fut dessiné par l'Italien Francesco De Sanctis et financé par un diplomate français. Chaque jour, les hordes de touristes appareil photo au poing, de vendeurs ambulants et d'adolescents romains arpentent la Scalinata della Trinità dei Monti. L'**église de la Trinité-des-Monts** (Chiesa della Trinità dei Monti ; 10h-12h et 16h-18h lun-dim) se dresse au sommet. Au pied de l'escalier, sur la Piazza di Spagna, la fontaine della Barcaccia (1627) est attribuée à Pietro Bernini, père du Bernin.

🏠 SHOPPING

La Via dei Condotti, la Via Borgognona et la Piazza di

Spagna réunissent de nombreuses enseignes, d'Armani à Zegna. La Via del Babuino accueille le concept store TAD au n°155A, et la Via Margutta privilégie les œuvres d'art et les antiquités. Pour les vins et les parfums, flâner dans la Via di Ripetta, où vous trouverez une clinique pour poupées au n°29.

🏠 ALINARI *Gravures, livres*

☎ 06 679 29 23 ; Via Alibert 16 ; ⏱ 15h30-19h lun, 10h-13h et 15h30-19h mar-ven, 10h30-13h et 15h30-19h sam ; Ⓜ **Spagna**

De belles reproductions sépia et des cartes postales de Rome et de l'Italie au XIXe siècle par les frères Alinari, photographes florentins. Quelques gros livres de photographies.

🏠 ANGLO-AMERICAN BOOKSHOP *Livres*

☎ 06 679 52 22 ; Via della Vite 102 ; ⏱ 15h30-19h30 lun, 10h-19h30 mar-sam ; Ⓜ **Spagna**

Une librairie anglophone bien fournie, avec des titres traitant aussi bien de l'architecture contemporaine que de l'histoire des juifs en Grèce, des classiques, des romans et des livres pour enfants. Bon choix de guides de voyage et de cartes.

🏠 BOMBA *Mode*

☎ 06 361 28 81 ; www.cristinabomba.com ; Via dell'Oca 39-41 ; ⏱ 15h30-

19h30 lun, 11h-19h30 mar-sam ;
M **Flaminio**
Les Romains de bon goût vouent
un véritable culte aux créations de
Cristina Bomba. Elles côtoient ici des
robes de chez Metradamo et Liviana
Conti, des chapeaux Nafi De Luca,
des bijoux de Donatella Pellini et
des chaussures de chez Fiorentini &
Baker. Petite sélection de cravates
et de chaussures tendance pour les
hommes. Pour du sur-mesure, prenez
rendez-vous avec le tailleur le lundi –
prévoyez une semaine pour une robe
ou un ensemble simples.

BUCCONE *Vin, alimentation*
☎ 06 361 21 54 ; www.enotecabuccone.
com ; Via di Ripetta 19-20 ; 9h-20h30
lun-jeu, 9h-23h30 ven-sam, 10h-19h30
dim ; M **Flaminio**
Toutes sortes de merveilles sont
exposées sur de vieux rayonnages :
huiles, vinaigres, sauces, pâtes,
biscotti (biscuits) régionaux et
vins divers. Si tout cela vous tente,
installez-vous dans la petite **enoteca**
(12h30-15h lun-jeu, 12h30-15h et 19h30-
22h30 ven-sam) pour déguster des plats
à l'ancienne – tarifs raisonnables.

ELIO FERRARO *Mode, design*
☎ 06 321 79 48 ; www.elioferraro.com ;
Via Margutta 11 ; 10h-19h30 lun-
sam ; M **Flaminio ou Spagna**
Tenues classiques uniques et
prototypes de collections attirent les
reines de l'élégance – envie d'une

robe à plumes dessinée par Tom
Ford pour Gucci, tout droit sortie
du podium ? Parmi les pièces de
choix, figurent des créations vintage
de Pucci, Missoni et Valentino, et
des vêtements d'Elio, architecte
et créateur. Et pour l'intérieur : des
créations design légendaires, des
années 1950 aux années 1980.

FABRIANO *Papeterie*
☎ 06 326 00 361 ;
www.fabrianoboutique.com ; Via del
Babuino 173 ; 10h-19h30 lun-sam ;
M **Flaminio ou Spagna**
Une belle collection d'articles de
papeterie : agendas séduisants,
carnets amusants et produits
ornés de plans de Rome. À noter
également : de singuliers bijoux en
papier de créateurs et d'élégants
portefeuilles fins comme du papier.

FAUSTO SANTINI *Chaussures*
☎ 06 678 41 14 ; www.faustosantini.com ;
Via Frattina 120 ; 11h-19h30 lun, 10h-
19h30 mar-sam, 12h-19h dim ; M **Spagna**
Fausto Santini fabrique des mules
et des bottes sensationnelles, dans
un cuir incroyablement souple. Vous
trouverez aussi des sacs.

FURLA *Accessoires*
☎ 06 692 00 363 ; www.furla.com ;
Piazza di Spagna 22 ; 10h-20h lun-
sam, 10h30-20h dim ; M **Spagna**
Rendez-vous dans l'enseigne du
Tridente de ce chouchou du monde

de la création (voir p. 168). Beaux sacs à main et accessoires tendance, au prix juste.

🛍 GENTE *Mode, accessoires*
☎ 06 320 76 71 ; Via del Babuino 185 ; 🕑 10h-19h30 lun-sam ; Ⓜ Spagna
Véritable mine, Gente se fournit auprès de grandes marques italiennes et étrangères comme Prada, Miu Miu, Helmut Lang et Anna Sui. Si vos goûts dépassent vos moyens, tentez votre chance à l'Outlet Gente (p. 169), qui propose des invendus et des articles de la saison précédente à des tarifs réduits.

🛍 MONDO POP *Art de rue*
☎ 06 364 92 313 ; www.mondopop.it ; Via dei Greci 30 ; 🕑 10h-19h30 mar-sam ; Ⓜ Spagna
Cette nouvelle galerie doublée d'une boutique offre un choix régulièrement renouvelé de produits conçus par des artistes cultes de l'art de rue comme Massimo Caccia, Cesko et Jeremyville de MTV – tee-shirts et poufs aux imprimés pop, jouets artistiques et sacs originaux.

🛍 MY CUP OF TEA
Concept Store
☎ 06 326 51 061 ; www.mycupoftea.it en italien ; Via del Babuino 65 ; 🕑 10h-18h lun-ven ; Ⓜ Spagna
Dans un ancien atelier d'artiste difficile à trouver (après l'entrée

principale, sonnez à la porte de la cour), cet incubateur de créativité autoproclamé expose le travail d'artistes et de créateurs de mode montants (l'accent est mis sur les modes femme et enfant). On a pu voir par le passé les bijoux en feutre de l'italo-britannique Biondo et les portraits kitsch de célébrités de Daniele Cima.

🍴 SE RESTAURER

🍴 BABETTE *Restaurant* €€
☎ 06 321 15 59 ; Via Margutta 1 ; 🕑 bar 9h-20h mar-dim, restaurant 13h-15h et 20h-23h mar-dim ; Ⓜ Flaminio ou Spagna
Un mélange pittoresque : hauts plafonds d'entrepôt, lampes de rue des années 1930, œuvres d'art éclectiques et cour paisible. Babette revisite les classiques italiens – de la brioche farcie à la morue (*baccalà*) à la soupe de fruits de mer servie avec du couscous. La carte du brunch offre surtout des plats plus simples (10 € mar-ven, 25 € sam-dim). Réservation conseillée pour le dîner.

🍴 GINA *Café* €€
☎ 06 678 02 51 ; Via San Sebastianello 7A ; 🕑 11h-17h lun, 11h-23h mar-sam, 11h-20h dim ; Ⓜ Spagna
À l'angle de la rue de l'escalier de la Trinité-des-Monts, cet établissement branché prépare de succulents repas légers : soupes, *bruschetta* et salades savoureuses – ces dernières

Chez 'Gusto, on attaque les repas avec un enthousiasme typiquement romain

plaisant beaucoup aux princesses habillées en Gucci, qui viennent surveiller les pin-up vêtues en Prada au déjeuner. Des paniers pour deux sont proposés, pour pique-niquer à la Villa Borghèse (40 €).

🍴 'GUSTO Pizzeria, restaurant €
☎ 06 322 62 73 ; **Piazza Augusto Imperatore 9** ; 🕒 pizzeria 12h30-15h30 et 19h30-1h, restaurant 12h30-15h et 19h30-23h30, bar à vin 11h30-2h ; 🚌 **Via del Corso**
Terrence Conran ne trouverait rien à redire à ce gigantesque restaurant-pizzeria-bar à vins aux faux airs de

loft, complété par un vaste magasin d'articles de cuisine. Malgré les années, l'enseigne reste prisée d'une clientèle stylée, qui préfère souvent les énormes pizzas du rez-de-chaussée à la cuisine fusion.

🍴 IL PALAZZETTO
Restaurant €€€
☎ 06 699 34 1000 ; **www.ilpalazzettoroma.com ; Vicolo del Bottino 8** ; 🕒 12h-15h30 et 19h30-22h30 mar-ven et dim, 12h-16h sam, fermé en août ; Ⓜ **Spagna**
Déjeuner léger en terrasse (avec vue sur l'escalier de la

Francesco Apreda
Chef, Imàgo (ci-contre)

Votre source d'inspiration culinaire ? Mes voyages. Les marchés, restaurants et ingrédients que je rencontre m'inspirent. Ma cuisine est surtout italienne, mais j'aime ajouter des notes étrangères, comme des champignons *inogi* dans des *linguine* aux anchois. **La scène culinaire romaine...** a beaucoup changé ces cinq dernières années. Les jeunes chefs utilisent les techniques et saveurs étrangères ; ils deviennent créatifs, tout en respectant les traditions culinaires italiennes. Enzo di Tuoro, le chef d'Il Palazzetto (p. 79), est un bon exemple. **Une bonne adresse pour déguster des plats romains authentiques ?** Je suis toujours à l'affût d'adresses dans le Trastevere, où l'on trouve des choses vraies, comme de gros salamis artisanaux. **Où achetez-vous vos légumes ?** Au marché du Campo dei Fiori (p. 51). Je suis un fidèle de l'étal de Claudio, en plein centre. J'apprécie de trouver des produits exotiques introuvables ailleurs.

Trinité-des-Monts) ou merveilles de la cuisine nouvelle dans une ancienne bibliothèque – pâtes *tagliolini* à la châtaigne, aux bulots et à la truffe. Pour les œnologues amateurs : l'académie internationale du Vin (p. 82) au rez-de-chaussée.

🍴 IMÀGO *Restaurant* €€€
☎ 06 699 34 726 ; www.hotelhassler.it ; **Piazza della Trinità dei Monti 6 ;** 🕑 **12h30-14h30 et 19h30-22h30 lun-sam, 12h30-15h et 19h30-22h30 dim ;** Ⓜ **Spagna**
Sur le toit de l'hôtel Hassler, le nouveau visage de l'Imàgo : une vue dégagée (demandez la table à l'angle), de belles tables en miroir, de luxueuses chaises en velours et le modernisme de la star des fourneaux, Francesco Apreda (voir ci-contre). Réservez.

🍴 LA BUCA DI RIPETTA
Restaurant €€
☎ 06 321 93 91 ; www.labucadiripetta.com ; **Via di Ripetta 36 ;** 🕑 **12h30-15h et 19h-23h ;** Ⓜ **Flaminio**
Cet établissement d'un raffinement discret, prisé des acteurs et réalisateurs romains, offre l'un des meilleurs rapports qualité/prix de la ville. Les classiques sont revisités avec talent – artichauts frits avec du fromage *tellagio* fondu, raviolis à la poire servis avec une sauce à l'orange rehaussée d'une pointe de poivre vert, etc. Arrivez avant

14h au déjeuner et réservez pour le dîner.

🍴 MARGUTTA RISTORARTE
Végétarien €€
☎ 06 678 60 33 ; www.ilmargutta.it ; **Via Margutta 118 ;** 🕑 **12h30-15h30 et 19h30-23h30 ;** Ⓜ **Flaminio ou Spagna**
Les végétariens se sentent chez eux dans ce restaurant doublé d'une galerie. Un design épuré et des œuvres d'art contemporain se marient avec les délices de saison, comme un strudel méditerranéen, avec courgettes en rondelles et sauce au poivron. Quelque 70% des ingrédients sont d'origine biologique. Le meilleur rapport qualité/prix est offert par le buffet du brunch à 15 € (25 € le dimanche), qui comprend jusqu'à 50 plats.

🍴 OSTERIA DELLA FREZZA
Osteria €€
☎ 06 322 62 73 ; **Via della Frezza 19 ;** 🕑 **12h30-15h et 19h30-24h ;** 🚌 **Via del Corso**
Dans le complexe du 'Gusto (p. 79), cette *osteria-enoteca*-bar à tapas à la mode scandinave invite à se détendre devant un verre de Frascati, une assiette de fromage et un bon livre. Le bar fonctionne de 11h à 1h. Entre 18h30 et 21h30, un verre de vin et une sélection de *cicchetti* (en-cas) reviennent à 10 €.

🍴 OSTERIA MARGUTTA
Trattoria €€€
☎ 06 323 10 25 ; Via Margutta 82 ;
🕓 12h30-15h et 19h30-24h lun-sam ;
Ⓜ Spagna

Des rideaux de velours rouge, des abat-jour à franges et des petites plaques indiquant sur les chaises les augustes personnages les ayant occupées. Côté carte, la vedette revient aux *tortelloni al tartufo* (farcis à la truffe – délicieux) et aux poissons frais du marché les mardi, vendredi et samedi.

🍸 PRENDRE UN VERRE

🍸 ANTICA ENOTECA *Bar à vins*
☎ 06 679 08 96 ; Via della Croce 76B ;
🕓 12h-1h ; Ⓜ Spagna

Clients et commerçants du quartier se retrouvent dans ce bar à vins très apprécié, orné de fresques et d'éléments décoratifs du XIXe siècle. Le bar – tout en bois et cuivre – propose 60 crus italiens servis au verre, ou optez pour des plats simples comme des pâtes ou de la polenta dans la salle à l'arrière.

🍸 CAFFÈ GRECO *Café*
☎ 06 679 17 00 ; Via Condotti 86 ;
🕓 10h-19h lun-dim, 9h-19h30 mar-sam ; Ⓜ Spagna

Keats, Wagner et Casanova comptèrent parmi les habitués du légendaire Greco, où les verres

s'entrechoquent depuis 1760. S'il conserve sa popularité, l'établissement se distingue surtout par son histoire.

🍸 PALATIUM *Bar à vins*
☎ 06 692 02 132 ; Via Frattina 94 ;
🕓 11h30-23h lun-sam ; Ⓜ Spagna

Reprenez des forces dans cette élégante vitrine kasher des produits sensationnels du Latium. Découvrez des crus régionaux méconnus comme l'Aleatico, ou grignotez un fromage du pays, des olives et du saucisson. Déjeuner 13h-15h, dîner 20h-22h30.

🍸 STRAVINSKY *Bar d'hôtel*
☎ 06 328 88 70 ; Via del Babuino 9 ;
🕓 9h-1h ; Ⓜ Flaminio

Avec des terrasses verdoyantes, des orangers en pot et un service attentif, le bar dans la cour de l'Hôtel de Russie est quasi imbattable pour son ambiance de garden-party. Profitez-en : commandez un martini "de Russie", installez-vous à l'ombre, puis jetez un coup d'œil au bar – une star rôde peut-être dans les parages.

⭐ SORTIR

⭐ ACADÉMIE INTERNATIONALE DU VIN
Dégustations de vin
☎ 06 699 08 78 ; www.wineacademyroma .com ; Vicolo del Bottino 8 ; 🕓 variables ;
Ⓜ Spagna

Découvrez les régions viticoles de l'Italie et apprenez l'art de la dégustation lors d'un cours d'une demi-journée (1 heure 30) à 180 €, déjeuner ou dîner compris. Vous pourrez aussi sortir de la ville pour profiter de l'un des formidables circuits proposés dans des caves et des restaurants (330-360 € ; 4 personnes au minimum). Des dégustations thématiques (gratuites ou jusqu'à 50 €) ont lieu régulièrement – du shiraz italien aux nectars bourguignons. Réservation indispensable.

>TREVI, QUIRINAL ET VIA VENETO

Les touristes, les rabatteurs et les boutiques de souvenirs donnent un faux air de bazar aux rues médiévales de Trevi. Outre la plus célèbre fontaine romaine, le quartier compte d'autres attraits, comme les musées du Palazzo Barberini et du Palazzo Colonna, la statue de sainte Thérèse figée par le Bernin dans une pose extatique et les merveilles glacées de Gelato di San Crispino.

Dans les restaurants, les conversations rappellent la proximité du Quirinal (Quirinale), où se dressent le Palazzo del Quirinale, l'imposant palais présidentiel dont les anciennes écuries (Scuderie Papali al Quirinale) accueillent désormais des expositions, et deux grandes églises baroques dessinées par des architectes rivaux : la Chiesa di Sant'Andrea al Quirinale et la Chiesa di San Carlo alle Quattro Fontane.

Plus au nord, la gracieuse Via Vittorio Veneto, autrefois chic, rejoint la Villa Borghèse. Elle conserve de grandioses façades du XIXe siècle devant lesquelles veillent des portiers désœuvrés, des cafés hors de prix et le souvenir fané de célébrités de jadis. Autre curiosité du secteur, la crypte des capucins est décorée de motifs réalisés avec des ossements de moines.

TREVI, QUIRINAL ET VIA VENETO

◉ VOIR

Chiesa di San Carlo alle
   Quattro Fontane 1 C3
Chiesa di Santa Maria della
   Concezione 2 B2
Chiesa di Santa Maria della
   Vittoria 3 D2
Chiesa di Sant'Andrea al
   Quirinale....................... 4 C3
Gagosian Gallery 5 B2
Palazzo Barberini– Galleria
   Nazionale d'Arte Antica ... 6 C3

Palazzo del Quirinale....... 7 B4
Palazzo e Galleria Colonna .. 8 B4
Scuderie Papali
   al Quirinale 9 B4
Fontaine de Trevi 10 A3

🛍 SHOPPING

Galleria Alberto Sordi 11 A3
Victory............................ 12 B3

🍴 SE RESTAURER

Al Moro 13 A3
Al Presidente................. 14 B3

Cantina Cantarini 15 D1
Castroni 16 C3
Colline Emiliane 17 B3
Da Michele.................... 18 A4
Dagnino......................... 19 D3
Il Gelato di
   San Crispino 20 B3
Moma............................ 21 C2

⭐ SORTIR

Gregory's....................... 22 B2

◉ VOIR

◉ CHIESA DI SAN CARLO ALLE QUATTRO FONTANE

☎ 06 488 32 61 ; Via del Quirinale 23 ;
🕙 10h-13h et 15h-18h lun-ven et dim,
10h-13h sam ; 🚌 Via Nazionale

La minuscule Saint-Charles-aux-Quatre-Fontaines, première œuvre connue de Borromini, est un joyau baroque. Achevée en 1641, elle témoigne du génie torturé de l'artiste, depuis le jeu sur les surfaces convexes et concaves jusqu'à l'incroyable coupole à caissons qui semble flotter – son secret réside dans des fenêtres astucieusement cachées.

◉ CHIESA DI SANTA MARIA DELLA CONCEZIONE

☎ 06 487 11 85 ; Via Vittorio Veneto 27 ;
don à l'entrée ; 🕙 9h-12h et 15h-18h ;
Ⓜ Barberini

Sous cette église austère du XVIIᵉ siècle, le **cimetière capucin** est funestement décoré avec les ossements de 4 000 moines, formant divers motifs, des lanternes aux fleurs de lys. Dans la scène finale, un squelette de la taille d'un enfant est représenté avec la balance de la justice dans une main et la faux de la mort dans l'autre.

◉ CHIESA DI SANTA MARIA DELLA VITTORIA

☎ 06 482 61 90 ; Via XX Settembre 17 ;
🕙 8h30-12h et 15h30-18h lun-sam,
15h30-18h dim ; Ⓜ Repubblica

Cette modeste église baroque accueille dans la dernière chapelle sur la gauche la célèbre *Extase de sainte Thérèse d'Avila,* du Bernin. Il s'agit sans doute de la plus belle sculpture de l'artiste : la sainte espagnole, sur des nuages, est figée dans une pause exprimant son plaisir tandis qu'un ange la transperce d'une flèche dorée. À partir de midi, la lumière exhale la sensualité de l'œuvre.

LA BATAILLE DU BAROQUE

Dans le monde de l'architecture, l'âpre rivalité qui opposa le Bernin à Borromini fut la plus célèbre de l'Italie baroque. Si le Bernin était mondain et exubérant (il séduisit la nièce du pape pour réaliser la fontaine des Fleuves sur la Piazza Navona, p. 58), Borromini était névrosé, reclus et torturé. Bien qu'il débutât à Rome dans l'atelier du Bernin, il méprisait le manque de formation architecturale et de maîtrise dans l'art de la taille de la pierre de son contemporain. Bernin n'était pas en reste, puisqu'il croyait que Borromini "avait été envoyé pour détruire l'architecture".

Depuis plusieurs siècles, leur rivalité perdure dans leurs œuvres : observez celles qui se tournent le dos sur la Piazza Navona, ou la Chiesa di San Carlo alle Quattro Fontane (ci-dessus) et l'église de Saint-André-au-Quirinal voisine (ci-contre) – l'une de Borromini, l'autre du Bernin.

CHIESA DI SANT'ANDREA AL QUIRINALE

☎ 06 489 03 187 ; Via del Quirinale 29 ; 🕙 9h-12h et 16h-19h lun-ven, 9h-12h sam ; 🚍 Via Nazionale

Saint-André-au-Quirinal témoigne de l'ingéniosité du Bernin, qui réussit à créer une impression de grandeur dans un espace restreint, grâce à un sol en ellipse et à huit profondes chapelles. Tout aussi magique, la statue de saint André semble vouloir quitter l'église pour rejoindre les cieux.

GAGOSIAN GALLERY

☎ 06 420 86 498 ; www.gagosian.com ; Via Francesco Crispi 16 ; gratuit ; 🕙 10h-18h30 lun-ven ; Ⓜ Barberini

Larry Gagosian, célèbre marchand d'art contemporain, a ouvert en décembre 2007 un musée conçu par Firouz Galdo et Caruso St John dans une ancienne banque des années 1920. L'exposition inaugurale a salué le travail de Cy Twombly, artiste américain installé à Rome.

PALAZZO BARBERINI – GALLERIA NAZIONALE D'ARTE ANTICA

☎ 06 482 41 84 ; www.galleriaborghese. it ; Via delle Quattro Fontane 13 ; adulte/18-25 ans de l'UE/moins de 18 ans et plus de 65 ans de l'UE 5/2,50 €/gratuit ; 🕙 9h-19h30 mar-dim ; Ⓜ Barberini

Des architectes baroques de renom contribuèrent à la construction de ce somptueux palais du XVIIe siècle, qui abrite la galerie nationale d'Art antique. Comparez l'imposant l'escalier du Bernin à l'escalier en colimaçon de Borromini, puis admirez les toiles du Caravage, de Raphaël, du Greco, du Tintoret, du Bronzino et de Hans Holbein. Enfin, plongez dans le *Triomphe de la Divine Providence* (1632-1639), fresque de Pierre de Cortone qui orne la voûte du salon principal. Elle illustre le pouvoir (et l'ego) du fondateur du palais, le pape Urban VIII. À compter de fin 2009, entrée par le n°18 de la Via Barberini.

PALAZZO DEL QUIRINALE

☎ 06 46 991 ; www.quirinale.it ; Piazza del Quirinale ; 5 € ; 🕙 8h30-12h dim sept-juin ; 🚍 Via Nazionale

En haut de la colline, le palais du Quirinal fut la résidence estivale des papes pendant presque trois siècles. Sous la menace du canon, les clefs furent remises en 1870 au nouveau roi de l'Italie, qui les confia au président de la République en 1948. La façade principale revient à Domenico Fontana, la chapelle à Carlo Maderno et l'aile parallèle à la rue au Bernin.

De l'autre côté de la Piazza del Quirinale, l'architecte italien Gae Aulenti redessina les anciennes écuries. Aujourd'hui, les **Scuderie Papali al Quirinale** (☎ 06 696 270 ; www.scuderiequirinale .it ; Via XXIV Maggio 16 ; tarif variable ; 🕙 10h-20h dim-jeu, 10h-22h30 ven-sam) comptent

La plus grande star de cinéma romaine – la fontaine de Trevi

parmi les plus beaux lieux d'exposition de Rome – on y voit aussi bien du pop art que des œuvres Renaissance.

◉ PALAZZO E GALLERIA COLONNA

☎ 06 678 43 50 ; www.galleriacolonna.it ; Via della Pilotta 17 ; adulte/moins de 10 ans et plus de 60 ans 7/5,50 € ; ⏲ 9h-13h sam, fermé en août ; 🚌 Via IV Novembre
Le samedi matin, les Colonna ouvrent au public leur somptueuse galerie du XVII siècle. L'espace est dominé par les fresques triomphales de la voûte, à la gloire des agissements vertueux de la famille. En dessous, sont présentées des œuvres de grands

maîtres comme Bronzino, Véronèse, Salvatore Rosa et Annibale Carrache, dont l'humble *Mangeur de fèves* est particulièrement célèbre. Le boulet de canon présenté dans l'escalier en marbre date du siège de Rome de 1849.

◉ FONTAINE DE TREVI

Piazza di Trevi ; 🚌 Via del Tritone
L'extravagance rococo de la fontaine fut immortalisée par le bain de minuit d'Anita Ekberg dans *La Dolce Vita*. Ce monument de Nicola Salvi (1732) représente le chariot de Neptune tiré par des tritons et des chevaux marins – l'un sauvage, l'autre docile

– symbolisant les humeurs de la mer. Pour retrouver la magie du film de Fellini, mieux vaut venir à l'aube.

🛍 SHOPPING

🛍 GALLERIA ALBERTO SORDI
Centre commercial

Piazza Colonna ; 🕐 10h-22h ; 🚌 Via del Corso

Les cinéphiles reconnaîtront l'arcade ornée de vitraux qui apparaît dans *Poussière d'étoiles* d'Alberto Sordi (1973), réalisateur et acteur fétiche des Romains, en l'honneur duquel ce centre commercial fut rebaptisé en 2003. Vous trouverez notamment des magasins Jam Store, Zara, AVC et Feltrinelli, ainsi qu'un petit café chic.

🛍 VICTORY *Mode*

☎ 06 699 24 280 ; Via dei Due Macelli 32 ; 🕐 10h-20h ; Ⓜ Barberini

Victory se distingue en proposant des articles pour hommes rares. Parmi les incontournables, citons les jeans Dondup, les chemises Gaetano Navarra et les chaussures Munich – une marque barcelonaise. Les femmes victimes de la mode trouveront leur bonheur de l'autre côté de la rue, au n°103-104.

🍽 SE RESTAURER

🍽 AL MORO *Restaurant* €€

☎ 06 678 34 96 ; Vicolo delle Bollette 13 ; 🕐 13h-15h30 et 20h-23h30 lun-sam ; 🚌 Via del Corso

On croirait remonter le temps dans cet établissement jadis fréquenté par Fellini, aux salles ornées de tableaux et de lampes Liberty. Le service est assuré par des serveurs irascibles et la clientèle, formée de vieux aristocrates. Comme eux, venez déguster la *cicoria al brodo* (chicorée au bouillon) ou un foie de veau fondant, à la sauge craquante et au beurre.

🍽 AL PRESIDENTE *Poisson et fruits de mer* €€€

☎ 06 679 73 42 ; Via in Arcione 95 ; 🕐 13h-15h et 20h-23h mar-dim ; 🚌 Via del Tritone

Dans l'ombre du palais présidentiel, le majestueux décor intérieur blanc est rehaussé de lustres en cuivre ouvragés et de chaises bordeaux. Les serveurs sont vêtus de noir. L'établissement privilégie les produits de la mer, et le classique rencontre le contemporain dans des plats comme les *fettucine* aux calamars et œufs de mulet. Réservation de rigueur.

🍽 CANTINA CANTARINI *Osteria* €€

☎ 06 485 52 81 ; Piazza Sallustio 12 ; 🕐 12h30-15h et 17h30-23h lun-sam ; 🚌 Via XX Settembre

Viande en début de semaine et poisson à la fin dans cet établissement bondé et joyeux. La carte privilégie les saveurs simples

LES QUARTIERS

TREVI, QUIRINAL ET VIA VENETO

des terroirs du Latium et de la région des Marches, servies par Mario Fattori, sur le pont depuis 1946. Arrivez tôt pour éviter la queue.

🍴 CASTRONI *Épicerie fine*   €
☎ 06 488 24 35 ; **Via delle Quattro Fontane 38 ;** 🕙 **7h-20h lun-sam ;** 🚌 **Via Nazionale**
Le fameux paradis des gourmets (p. 169).

🍴 COLLINE EMILIANE
Trattoria   € €
☎ 06 481 75 38 ; **Via degli Avignonesi 22 ;** 🕙 **12h45-14h45 et 19h30-22h45 mar-sam, 12h45-14h45 dim ;** Ⓜ **Barberini**
Cette belle enseigne chaleureuse défend les couleurs de l'Émilie-Romagne, région à laquelle on doit le parmesan, le vinaigre balsamique,

la sauce bolognaise et le jambon de Parme. Crème, veau et farces savoureuses pour les pâtes (comme celle à la citrouille) donnent le ton. La côtelette de porc farcie au *prosciutto* et au fromage est incontournable. Réservation indispensable.

🍴 DA MICHELE *Pizza à la part*   €
☎ 349 252 53 47 ; **Via dell'Umiltà 31 ;** 🕙 **9h-20h dim-jeu et 9h-15h ven ;** 🚌 **Via del Corso**
Difficile de se contenter d'une part dans cette petite enseigne kasher de légende, qui prépare notamment une irrésistible pizza aux épinards et à la tomate. Pâtes légères et excellentes.

🍴 DAGNINO *Pâtisserie*   €
☎ 06 481 86 60 ; **Galleria Esedra, Via Vittorio Emanuele Orlando ;** 🕙 **7h-23h lun ;** Ⓜ **Repubblica**

Choisir sa glace : un jeu d'enfant ?

Les becs sucrés se pressent dans cette pâtisserie rustique pour savourer de sublimes douceurs siciliennes : *cannoli* (pâtisseries) farcies à la ricotta, brioche glacée, fruits en pâte d'amande moelleux, etc. S'il n'est pas toujours facile de faire le bon choix, les *arancini* (boulettes de riz) sont dignes de Palerme.

🍴 IL GELATO DI SAN CRISPINO *Glacier*   €
☎ 06 679 39 24 ; **Via della Panetteria 42 ;** 🕐 **12h-0h30 lun, mer, jeu et dim, 12h-1h30 ven-sam ;** Ⓜ **Barberini**
Ce pourrait bien être le meilleur glacier du monde. Les parfums, de saison, sont religieusement rangés sous des couvercles en inox. Exclusivement naturels, ils sont inoubliables – de la figue piquante à la glace gingembre-cannelle.

🍴 MOMA *Restaurant, café*   €€€
☎ 06 420 11 798 ; **Via San Basilio 42 ;** 🕐 **7h-23h lun-sam ;** Ⓜ **Barberini**
Cette enseigne au sol de ciment est divisée en deux : bar au rez-de-chaussée pour les expressos et les amuse-gueule à déguster debout et restaurant à l'étage offrant des plats méditerranéens innovants, comme les *capesante* (noix de Saint-Jacques) grillées accompagnées de quenelles

LE B.A.-BA DE L'AMATEUR DE GLACE

On devient vite accro aux glaces romaines, à condition d'en trouver des vraies. La banane est un bon test : le jaune vif est signe de médiocrité ; le gris, de qualité. Le conditionnement dans des bacs en plastique trahit souvent une production de masse. Les bons glaciers emploient des produits de saison. Parmi les prétendants au titre de meilleur glacier de Rome figurent Il Gelato di San Crispino (à gauche), la vieille enseigne Giolitti (p. 64), ainsi qu'Al Settimo Gelo (p. 169) et le Palazzo del Freddo di Giovanni Fassi (p. 102), plus excentrés.

de lentilles rouges et les *velo di Colonnata* (fines tranches de lard de Colonnata) servies avec une glace au romarin. Réservez pour le dîner.

⭐ SORTIR

GREGORY'S *Musique live*
☎ 06 679 63 86 ; **www.gregorysjazz. com ; Via Gregoriana 54D ; 5 € ;** 🕐 **20h-3h mar-dim, fermé en août ;** Ⓜ **Spagna**
Rendez-vous des musiciens locaux, cette salle de jazz de caractère est une bonne adresse. Détendez-vous au bar du rez-de-chaussée, avant de vous avachir dans un sofa à l'étage pour écouter des airs de Teddy Wilson.

>MONTI ET ESQUILIN

Coincé entre trois collines antiques, le quartier des Monti séduit les citadins branchés, attirés par l'ambiance de village et les boutiques tendance. Les commerçants exposent les artistes locaux et organisent de grandes fêtes estivales. À l'époque antique, ce secteur alors malfamé où Jules César passa son enfance était connu sous le nom de Suburre. Aujourd'hui, on remarque surtout la présence de marques comme April 77, et de bars vendant des livres et servant des *caprioska*, dans des rues pittoresques comme la Via del Boschetto, la Via Leonina, la Via Urbana, la Via degli Zingari et la Via dei Serpenti.

À l'est des Monti, l'Esquilin (Esquilino) dévoile un tout autre visage avec ses hôtels pour petits budgets, ses magasins d'articles "Made in China" et la présence de rôdeurs après la tombée de la nuit. On trouve aussi des boutiques pakistanaises et une foule bigarrée, à l'image des diseurs de bonne aventure sur les trottoirs. Ajoutons deux hauts lieux de la culture – le Museo Nazionale Romano : Palazzo Massimo alle Terme et la basilique Sainte-Marie-Majeure – et une porte secrète. Voici une retraite urbaine des plus exotiques.

MONTI ET ESQUILIN

VOIR

BASILICA DI SAN PIETRO IN VINCOLI

☎ 06 488 28 65 ; Piazza di San Pietro in Vincoli 4A ; ⏱ 8h-12h30 et 15h-18h lun-sam ; Ⓜ Cavour

Les chaînes qui lièrent saint Pierre sont exposées sous l'autel de Saint-Pierre-aux-Liens (Ve siècle). Selon la légende, elles se seraient miraculeusement soudées après avoir été ramenées de Constantinople. Selon une interprétation commune, les deux cornes ornant la tête de Moïse sur le monumental mausolée de Jules II commencé par Michel-Ange résulteraient d'une incompréhension : le mot hébreu signifiant "rayons" aurait été confondu avec celui désignant des cornes.

BASILICA DI SANTA MARIA MAGGIORE

☎ 06 48 31 95 ; Piazza Santa Maria Maggiore ; ⏱ 7h-19h lun-dim ; 🚌 Piazza Santa Maria Maggiore

Perchée sur une colline, Sainte-Marie-Majeure possède une nef triple du Ve siècle, un clocher roman (le plus haut de Rome), une façade du XVIIIe siècle, un sol en marbre

La basilique Sainte-Marie-Majeure : une profusion de marbre

de style cosmatesque, un plafond à caissons doré du XVe siècle et des mosaïques du Ve siècle colorées. Dans ce cadre somptueux, la tombe du Bernin, grand maître du baroque, se dresse à droite de l'autel.

CHIESA DI SANTA CROCE IN GERUSALEMME

☎ 06 701 47 69 ; Piazza di Santa Croce in Gerusalemme 12 ; ☾ église 7h-12h45 et 14h30-19h lun-sam, 8h-12h45 et 14h30-19h dim, chapelle des reliques 8h-12h30 et 14h30-18h30 tlj ; 🚌 Piazza di Porta Maggiore

L'empereur Constantin fit bâtir cette église en souvenir de sa mère, sainte Hélène, et y déposa les reliques qu'elle avait ramenées de Jérusalem en 329 : des fragments de la croix du Christ, un clou, deux épines de la couronne et un morceau du doigt de saint Thomas.

CHIESA DI SANTA PRASSEDE

☎ 06 488 24 56 ; Via Santa Prassede 9A ; ☾ 7h-12h et 16h-18h30 ; 🚌 Piazza Santa Maria Maggiore

L'humble Santa Prassede éblouit par ses mosaïques du IXe siècle, réalisées par des artistes byzantins convoqués spécialement par le pape Pascal Ier. Admirez celles de l'arc triomphal et de l'abside, avant d'atteindre l'extravagante chapelle de San Zenone, qui abrite un fragment de la colonne de la flagellation du Christ.

DOMUS AUREA

☎ 06 399 67 700 ; www.pierreci.it ; Viale della Domus Aurea ; 4,50 € ; ☾ 10h-16h mar-ven ; Ⓜ Colosseo

La Maison dorée de l'empereur Néron, érigée après l'incendie de 64, occupait à l'origine un tiers de la ville. Le palais, couvert d'or et de nacre, possédait des salles de banquet ornées de fresques, des nymphées, des bassins et un lac artificiel, là où se dresse aujourd'hui le Colisée (p. 44). S'il en subsiste peu de choses, les fresques méritent le coup d'œil – elles ont notamment inspiré Ghirlandaio et Raphaël. Réservation indispensable.

MUSEO NAZIONALE D'ARTE ORIENTALE

☎ 06 469 74 801 ; www.museorientale. it ; Via Merulana 248 ; ☾ 9h-14h mar, mer et ven, 9h-19h30 jeu, sam et dim, fermé 1er et 3e lun du mois ; adulte/18-24 ans de l'UE/moins de 18 ans et plus de 65 ans de l'UE 6/3 €/gratuit ; Ⓜ Vittorio Emanuele ; ♿

Méconnu, le musée national d'Art oriental de Rome n'en est pas moins impressionnant. Nichée dans un fabuleux palais, sa collection de trésors du Proche et Extrême-Orient comprend d'anciens marbres sculptés d'Afghanistan, des céramiques kubachi multicolores du XVe siècle, des éventails tibétains peints du XIe au XVIIIe siècle et des textiles népalais raffinés.

LA PORTE MAGIQUE

À l'angle nord-est de la Piazza Vittorio Emanuele II, une mystérieuse porte de pierre est couverte de symboles cabalistiques et d'étranges inscriptions en latin. Gardée par deux demi-dieux de l'Antiquité égyptienne et surmontée d'un disque en pierre orné de l'étoile de David, elle ouvrait jadis sur les jardins privés de la Villa Palombara, qui se dressait ici jusqu'à la fin du XIX° siècle.

Selon la légende, le marquis Palombara, propriétaire de la villa et adepte des sciences occultes, finança les expériences d'un jeune nécromancien du nom de Giuseppe Francesco Borri, chargé de découvrir la légendaire pierre philosophale – qui devait transformer les métaux vils en or. Mais Borri disparut, laissant derrière lui des piles de papiers couverts de formules secrètes, dont le marquis espérait qu'elles pourraient révéler la formule magique. Les meilleurs alchimistes demeurant pantois, il finit par graver les symboles sur la porte, dans l'espoir qu'un expert les verrait et déchiffrerait le code.

🎦 MUSEO NAZIONALE ROMANO : PALAZZO MASSIMO ALLE TERME

☎ 06 399 67 700 ; Largo di Villa Peretti 1 ; adulte/18-24 ans de l'UE/moins de 18 ans et plus de 65 ans de l'UE 7/3,50 €/gratuit, expositions temporaires supp 3 € ; ⏲ 9h-19h45 mar-dim ; Ⓜ Termini ; ♿
Incontournable pour qui s'intéresse à l'Antiquité. Après la monnaie antique et la momie d'un enfant romain au sous-sol, le rez-de-chaussée et le premier étage sont consacrés à la statuaire antique – remarquez Auguste représenté sous les traits de Pontifex Maximus et l'émouvante *Niobide dagli Horti Sallustiano* (Niobide dans les jardins de Salluste) du V° siècle au rez-de-chaussée, et les sculptures du premier étage offrant un bon aperçu des coiffures antiques. Le deuxième étage présente des mosaïques et des fresques romaines. Il comprend notamment des peintures murales érotiques provenant d'une villa datant de l'époque d'Auguste, découvertes dans le jardin de la Villa Farnèse (p. 151). Pensez à l'audioguide (4 €).

🎦 MUSEO NAZIONALE ROMANO : TERME DI DIOCLEZIANO

☎ 06 399 67 700 ; Viale Enrico De Nicola 78 ; adulte/18-24 ans de l'UE/ moins de 18 ans et plus de 65 ans de l'UE 7/3,50 €/gratuit, expositions temporaires supp 3 € ; ⏲ 9h-19h45 mar-dim ; Ⓜ Termini ; ♿
Les thermes de Dioclétien (III° siècle) étaient les plus vastes de la Rome antique. Bassins, bibliothèques, salles de concert et jardins pouvaient accueillir 3 000 personnes. Au XVI° siècle, Michel-Ange bâtit sur les ruines un couvent, dont le beau cloître est aujourd'hui bordé de sarcophages, de statues et de

masques de théâtre de l'Antiquité. Le musée, renommé pour sa collection d'épigraphes, abrite un poitrail en bronze du Ve siècle av. J.-C. et un remarquable trio de personnages féminins en terre.

⊙ PALAZZO DELLE ESPOSIZIONI

☎ 06 399 67 500 ;
www.palazzoesposizioni.it ; Via Nazionale 194 ; adulte/moins de 26 ans et plus de 65 ans 12,50/10 € ; ⊙ 10h-20h jeu et dim, 10h-22h30 ven-sam ; 🚌 Via Nazionale ; ♿

Ancien siège du Parti communiste, le Palais des expositions, rendu à sa splendeur du XIXe siècle, accueille des manifestations artistiques – comme la récente rétrospective Stanley Kubrick et l'exposition sur la photographie chinoise du XXIe siècle. Cinéma, shopping et bar au Bookàbar (ci-dessous).

🛍 SHOPPING

🛍 BOOKÀBAR *Livres, musique*

☎ 06 489 13 361 ; Via Milano 15-17 ;
⊙ 10h-20h mar-jeu et dim, 10h-22h30 ven-sam ; 🚌 Via Nazionale

Cet agréable bar-librairie conçu par Firouz Galdo propose d'excellents ouvrages (art, architecture, design et cinéma), des DVD, des CD et des cadeaux design. Intégré au Palais des expositions (à gauche), on y entre par la Via Milano.

🛍 CONTESTA ROCK HAIR
Mode

☎ 06 489 06 975 ;
www.contestarockhair.com ; Via degli Zingari 10 ; ⊙ 16h-20h lun, 10h-20h mar-sam ; Ⓜ Cavour

Un style minimaliste, des néons et une boule disco… De quoi attirer garçons et filles en quête d'originalité. Outre des marques indépendantes pour clientèle avertie, comme PHCY (Italie) et Insight and Spacecraft (Australie), vous trouverez des articles excentriques, dont des masques de lutte mexicains tricotés.

🛍 FABIO PICCIONI *Bijoux*

☎ 06 474 16 97 ; Via del Boschetto 148 ;
⊙ 14h-20h lun, 10h30-13h et 14h-20h mar-ven ; Ⓜ Cavour

Sous une mer de lustres, Fabio Piccioni fabrique à partir de vieilles breloques des bijoux inspirés de l'Art déco – un must. Apprécié des stars du cinéma et du théâtre, il porte ce qu'il ne vend pas. Également ouvert de 10h30 à 13h et de 14h à 20h le samedi de novembre à avril.

🛍 FURLA *Accessoires*

☎ 06 487 01 27 ; www.furla.com ; Via Nazionale 54-55 ; ⊙ 9h30-20h lun-sam ;
🚌 Via Nazionale

Des accessoires tendance et abordables (p. 168).

VIA DEL BOSCHETTO

Les rues branchées ne manquent pas aux Monti, mais la Via del Boschetto (A3) reste la plus exceptionnelle du quartier. Elle abrite la fantaisie de Tina Sondergaard (p. 101), le charme rétro de Le Gallinelle (ci-dessous) et un bar à vins défraîchi. Elle présente en outre un fabuleux mélange de boutiques éclectiques et de bric-à-brac.

On trouve aussi quelques ateliers d'artistes. Vous dénicherez des objets en verre écologiques chez **I Vetri di Passagrilli** (☎ 06 474 70 22 ; www.ivetridipassagrilli.it ; Via del Boschetto 94 ; ⏱ 10h30-14h et 15h-20h lun-sam) et une table aux pattes de poulet dessinée par Chiara Rapaccini, artiste et auteur de livres pour enfants, chez **RAP** (☎ 06 474 08 76 ; www.chiararapaccini.com en italien ; Via del Boschetto 61 ; ⏱ variables). Fin 2007, des commerçants ont présenté le travail de Rapaccini dans leurs boutiques, transformant la Via del Boschetto en une longue galerie d'art. L'Associazione Via del Boschetto (www.viadelboschetto.it en italien), fondée par des habitants et des commerçants, vise à protéger et à promouvoir la rue. Elle organise aussi bien des fêtes de rue en été que des concerts de jazz. Renseignements sur le site Internet.

🍫 LA BOTTEGA DEL CIOCCOLATO *Alimentation*
☎ 06 482 14 73 ; Via Leonina 82 ;
⏱ 9h30-19h30 lun-sam sept-mai ;
Ⓜ Cavour

Les tons écarlates et l'ambiance de boudoir incitent à faire des folies chez ce chocolatier. Craquez pour les pralines et les truffes fraîches moelleuses, offrez-vous un délicieux camion en chocolat, ou succombez devant l'onctuosité du chocolat chaud.

👕 LE GALLINELLE *Mode*
☎ 06 488 10 17 ; www.legallinelle.it ;
Via del Boschetto 76 ; ⏱ 10h-14h et 15h30-19h30 mar-sam, 15h30-19h30 lun ; Ⓜ Cavour

Cette ancienne échoppe de volailler, qui a conservé le comptoir en

marbre, les crochets et les chambres froides – transformées en cabines d'essayage –, regorge de vêtements rétro retravaillés par Wilma et Giorgia Silvestri (mère et fille). Robes en crêpe, chemises de dandy, manteaux en tweed bordés de soie imprimée à l'image d'Elvis, etc.

👕 MAS *Grand magasin*
☎ 06 446 80 78 ; Via dello Statuto 11 ;
⏱ 9h-13h et 16h-20h lun-sam, jusqu'à 19h30 dim ; Ⓜ Vittorio Emanuele

Pittoresque et amusant, le Magazzino allo Statuto est un vaste bazar rétro, peuplé de vendeuses aux faux airs de Jennifer Lopez et d'une foule multiculturelle, attirée par les affaires offertes à tous les niveaux : jeans à 15 €, chemises bon marché, sous-vêtements, chapeaux, chaussures, tissus, vaisselle, etc.

🏠 MISTY BEETHOVEN
Mode, accessoires

☎ **06 488 18 78 ; www.mistybeethoven. it en italien ; Via degli Zingari 12 ;** 🕐 **16h-20h lun, 11h-20h mar-sam ;** Ⓜ **Cavour**

La sensualité imprègne ce boudoir, entièrement conçu par son propriétaire. Sous un lustre composé de stylos à bille noirs, une clientèle stylée s'approvisionne en chaussures et sacs Vivienne Westwood, en parfum Agent Provocateur, en jolis corsets, en bougies parfumées, voire en godemichés design.

🏠 STAZIONE TERMINI
Centre commercial

Piazza dei Cinquecento ; Ⓜ **Termini**
La gare centrale de Rome s'avère pratique, avec plus de 100 boutiques : chaînes habituelles comme The Body Shop et Benetton, librairies sur plusieurs niveaux, **pharmacie** ouverte jusque tard le soir (quai 1 ; 🕐 7h30-22h), trois supermarchés – le meilleur étant **Conad** (🕐 6h-24h) au sous-sol –, etc.

🏠 SUPER *Mode, accessoires*

☎ **06 454 48 500 ; www.super-space. com ; Via Leonina 42 ;** 🕐 **15h30-20h lun, 10h30-14h et 15h30-20h mar-sam ;** Ⓜ **Cavour**

Ce magasin minimaliste et unisexe, salué par *Vogue* en France et par *Elle* au Japon, délaisse les grandes marques au profit de griffes plus confidentielles – des innovateurs italiens comme February et Mario's, et des progressistes étrangers comme Poetic Licence (Londres) et April 77

La gare de Termini n'est pas seulement un nœud de transports : on peut aussi y faire des emplettes

Tina Sondergaard

Expatriée et créatrice de mode (voir ci-contre)

Comment êtes-vous arrivée à Rome? Je suis venue du Danemark pour étudier l'italien pendant 6 mois, et j'ai compris que Rome était faite pour moi ; 25 ans plus tard, j'apprécie toujours l'ambiance et l'amour qu'ont les Italiens de la vie. **Qu'est-ce qui vous inspire pour vos collections ?** J'apprécie les coupes des années 1950 et les couleurs des années 1960. J'aime jouer sur différentes époques et créer en ajoutant une note contemporaine. **La garde-robe du Romain moyen est...** un mélange sans audace de grandes marques. Heureusement, de plus en plus d'habitants recherchent des choses uniques. **Des bons plans shopping à Rome ?** Pour les tissus, allez chez Bassetti Tessuti (voir encadré, p. 62) et près du Largo di Torre Argentina (carte p. 52, E5-E6). Pour une mode intéressante en-dehors des Monti, essayez la Via del Governo Vecchio (carte p. 52, B4) et les petites rues près du Campo dei Fiori (p. 51). Pour les chaussures pour femmes, ne manquez pas Borini (p. 60). Les hommes iront plutôt chez Victory (p. 89).

(France et Angleterre). Le mobilier rétro est en vente, tout comme les articles design excentriques.

🏠 TINA SONDERGAARD *Mode*

☎ 06 979 90 565 ; Via del Boschetto 1D ;
🕐 15h-19h30 lun, 10h30-13h et
13h30-19h30 mar-sam, fermé en août ;
Ⓜ **Cavour**

Superbement coupés, alliant fantaisie et rétro, ces vêtements artisanaux sont prisés d'une clientèle féminine avertie, comme la rock star italienne Carmen Consoli, et du monde du théâtre et de la télévision. Édition limitée pour chaque article et nouvelles créations chaque semaine.

🍴 SE RESTAURER

🍴 AFRICA *Éthiopien, érythréen* €

☎ 06 494 10 77 ; Via Gaeta 26-28 ;
🕐 8h-24h mar-dim ; Ⓜ **Castro Pretorio**

On mange avec les doigts dans ce vieux restaurant aux couleurs vives, qui propose des plats éthiopiens et érythréens authentiques, servis dans des *mesob* (paniers éthiopiens traditionnels tissés) colorés. Ragoûts épicés et délicieux *sambusa* (savoureuses pâtisseries frites) sont servis sur des rythmes africains. Un lieu rafraîchissant.

🍴 AGATA E ROMEO
Restaurant €€€

☎ 06 446 61 15 ; Via Carlo Alberto 45 ;
🕐 12h30-15h et 19h30-22h30 lun-ven,

fermé 2 semaines en janvier et août ;
Ⓜ **Vittorio Emanuele**

Cette luxueuse institution gastronomique est dirigée par Agata Parisella, chef légendaire, qui propose des plats romains d'une fausse simplicité, souvent complexes et parfaitement équilibrés – morue (*baccalà*) rehaussée d'orange par exemple. Son mari veille sur la carte et sa fille Maria Antonietta choisit les fromages. Service discret. Réservez.

🍴 DA RICCI *Pizzeria* €

☎ 06 488 11 07 ; Via Genova 32 ;
🕐 19h-24h mar-dim, fermé en août ;
🚌 **Via Nazionale**

Niché dans un cul-de-sac, Est! Est! Est! (comme on l'appelle également) est peut-être la plus vieille pizzeria de Rome – c'était à l'origine, en 1905, un caviste. Elle est renommée pour sa *pizza alla napoletana* (pizza à la napolitaine) à la pâte croustillante, servie dans un décor ancien, peuplé d'habitués.

🍴 DOOZO *Japonais* €€

☎ 06 481 56 55 ; www.doozo.it ; Via Palermo 51 ; 🕐 12h30-15h et 20h-23h30 mar-sam ; 🚌 **Via Nazionale**

La rencontre de la gastronomie japonaise, de l'art et des beaux livres, dans un établissement branché mais détendu. Admirez des photographies contemporaines en sirotant un thé au riz grillé, offrez-vous un service à thé japonais, ou relaxez-vous dans le jardin zen devant de délicieux sushis et sashimis, une bonne soupe *soba* et de divins *mochi*, préparés par un chef tokyoïte.

INDIAN FAST FOOD *Indien* €
☎ 06 446 07 92 ; Via Mamiani 11 ;
🕑 11h30-16h et 17h-22h30 lun-dim ;
Ⓜ Vittorio Emanuele

De la pop indienne, des curries puissants et une statue de Ganesh au-dessus du réfrigérateur des boissons dans un restaurant sans prétention (vente à emporter *disponible*), qui propose à prix doux des plats indiens authentiques – samosas épicés, savoureux *pakora* et douceurs indiennes fluorescentes.

PALAZZO DEL FREDDO DI GIOVANNI FASSI *Glacier* €
☎ 06 446 47 40 ; Via Principe Eugenio 65-67 ; 🕑 12h-24h mar-ven, jusqu'à 0h30 sam, 10h-24h dim ;
Ⓜ Vittorio Emanuele

Avec ses tables en marbre désuètes et ses vieilles machines à glace, le plus vieux glacier de Rome compte aussi parmi les meilleurs. Une hésitation ? Optez pour le mélange *riso* (riz)-pistache-*nocciola* (noisette) – divin.

PANELLA L'ARTE DEL PANE *Boulangerie* €
☎ 06 487 24 35 ; Via Merulana 54 ;
🕑 8h-14h et 17h-20h lun-ven, 8h-14h sam ; Ⓜ Vittorio Emanuele

À une volée de marches du Museo Nazionale d'Arte Orientale (p. 95), cette boulangerie appétissante doublée d'un *providore* défie la raison avec son choix de *pizza al taglio* (pizza à la part), de *focaccia*, de boulettes de riz siciliennes, de croquettes et pâtisseries frites, et de pains réalisés à partir de recettes de la Rome antique. Dégustez un verre de *prosecco* bien frais, avant de faire le tour des rayonnages.

TRATTORIA MONTI *Trattoria* €€
☎ 06 446 65 73 ; Via di San Vito 13A ;
🕑 12h45-14h45 et 19h45-22h45 mar-sam, 12h45-14h45 dim ; Ⓜ Vittorio Emanuele

Journalistes et familles aisées se pressent dans cette institution tenue par les charmants Camerucci. Comme les patrons, les produits de saison, viennent de la région des Marches – gibier, truffes et *orino di fossa* (fromage de brebis vieilli en cave), que l'on retrouve préparés avec talent dans des plats comme les *tortoni* au *pecorino*, aux anchois et aux raisins de Smyrne. Réservez pour le dîner.

🍸 PRENDRE UN VERRE

AI TRE SCALINI *Bar à vins*
☎ 06 489 07 495 ; Via Panisperna 251 ;
🕑 12h-1h lun-ven, 18h-1h sam et dim ;
Ⓜ Cavour

Derrière l'archétype de la façade couverte de lierre, se cache un intérieur éclectique, décoré avec des masques de théâtre, une horloge de grand-père et des fresques rustiques. Côté carte : des salades fraîches et un strudel nourrissant ; côté musique : des rythmes allant du blues au jazz. La jeunesse des Monti afflue à l'heure de l'*aperitivo*.

⚐ AL VINO AL VINO *Bar à vins*
☎ **06 48 58 03 ; Via dei Serpenti 19 ; 🕙 9h30-14h30 et 17h30-0h30 dim-jeu, jusqu'à 1h30 ven-sam, fermé 2 semaines en août ; Ⓜ Cavour**
Idéal pour conclure une séance shopping dans le quartier des Monti, l'Al Vino mêle chic rustique et art contemporain. La cave est tapissée de 500 crus (dont 25 servis au verre). Vous trouverez aussi une bonne sélection de whiskys et de grappas, et des plats siciliens pimentés.

⚐ BAR ZEST
Bar et restaurant sur le toit
☎ **06 44 48 41 ; www.rome.radissonsas. com ; Via Filippo Turati 171 ; 🕙 10h30-1h ; Ⓜ Termini**
En haut du Radisson SAS es. Hotel et en face de la gare de Termini, le Bar Zest, chic et tendance, fait oublier la grisaille de l'Esquilin. Chaises Jasper Morrison, service attentif, grandes baies vitrées et belle piscine sur le toit – parfois ouverte au public, renseignez-vous. Sirotez un Mai Tai, grignotez un plat méditerranéen, et oubliez le chaos alentour.

⚐ BOHEMIEN *Bar*
Via degli Zingari 36 ; 🕙 18h-2h mer-lun ; Ⓜ Cavour
Défraîchi à souhait avec ses fauteuils en velours usé et ses abat-jour peints tordus, cette enseigne branchée est appréciée

Baignade et détente sur le toit du Radisson SAS es. Hotel, au Bar Zest

pour ses cocktails à 5 € et ses délicieux petits canapés apéritif à partir de 19h. Œuvres d'art aux murs et livres en vente. Une clientèle bohème envahit les lieux à partir de 23h.

� LA BARRIQUE *Bar à vins*
☎ 06 478 25 953 ; Via del Boschetto 41B ; ⏱ 13h-15h et 19h-1h30 lun-ven, 19h-1h30 sam ; 🚇 Via Nazionale

Ce bar à vins intimiste à l'éclairage tamisé s'enorgueillit d'offrir une belle sélection de vins italiens et français, 120 types de champagne, et des whiskys d'exception. Patron sympathique et connaisseur. Délicieux en-cas, comme l'incontournable *crostone* (bruschetta) à la pancetta et aux anchois – conseillée par Fabrizio.

� LA BOTTEGA DEL CAFFÈ
Café
☎ 06 481 58 71 ; Piazza della Madonna dei Monti ; ⏱ 8h30-2h lun-dim ; 🚇 Cavour

Sur une place pittoresque, ce café contemporain animé est le lieu idéal pour feuilleter la presse en observant les habitants. Outre le vin et les jus de fruits frais, des plats appétissants et d'un bon rapport qualité/prix sont également offerts (l'assiette de fromages accompagnée d'une *focaccia* au romarin convient pour deux).

� TRIMANI *Bar à vins*
☎ 06 446 96 30 ; Via Cernaia 37B ; ⏱ 11h30-15h et 18h-0h30 lun-sam, fermé en août ; 🚇 Termini

Un grand choix d'excellents crus et des plats du jour comme les *spaghetti di gragnano con asparagi, pancetta e profumo di timo* (spaghettis aux asperges, au bacon et au thym). L'enseigne appartient à l'empire du vin de la famille Trimani, dont le **magasin de vins et de spiritueux** (☎ 06 446 96 61 ; Via Goito 20 ; ⏱ 9h-13h30 et 15h30-20h30 lun-sam) à l'angle de la rue est le plus grand de Rome.

⭐ SORTIR
⭐ HANGAR *Club gay*
☎ 06 488 13 971 ; www.hangaronline.it ; Via in Selci 69 ; ⏱ 22h30-2h30 mer-lun, fermé 3 semaines en août ; 🚇 Cavour

Le plus vieux bar gay de la Ville éternelle garde les faveurs des dons Juans romains et de passage, qui apprécient l'ambiance simple et néanmoins torride – elle devient particulièrement chaude le week-end, le lundi (soirée érotique) et le jeudi (soirée strip-tease).

⭐ MICCA CLUB
Musique live, discothèque
☎ 06 874 40 079 ; www.miccaclub.com ; Via Pietra Micca 7A ; gratuit-10 € ; ⏱ 22h-2h mer, jusqu'à 4h jeu-sam, 18h-2h dim, fermé juin-août ; 🚇 Vittorio Emanuele

LES MAISONS DE LA CULTURE

À l'heure où Rome retrouve le goût de la culture, une nouvelle catégorie de *case* (maisons) de la culture thématiques se charge d'alimenter les amateurs. Si la Casa del Jazz (p. 145) et la Casa del Cinema (p. 182) sont bien connues, l'Esquilin cache aussi un joyau méconnu : la **Casa dell'Architettura** (maison de l'Architecture ; ☎ 06 976 04 598 ; www.casadellarchitettura.it ; Piazza Manfredo Fanti 47 ; ☺ variables, consultez le site Internet ; Ⓜ Termini). Installée dans un aquarium d'Ettore Bernich admirablement restauré, elle accueille régulièrement dans son hall au dôme de verre des expositions sur le thème de l'architecture. Elle possède aussi une belle **librairie** (☎ 06 976 04 531 ; www.libreria.casadellarchitettura.it en italien ; ☺ 9h30-17h30 lun-ven) spécialisée dans le design, et un petit jardin aux herbes folles pour changer du béton.

Très années 1960 et marqué par une ambiance pop art, ce lieu animé en sous-sol programme aussi bien des concerts de bossa nova que du jazz français, des ateliers burlesques, du vieux rock italien et de la dance mixée par des DJ. Le mensuel Fish'n'Chips (www.myspace.com/fishnchipsvenue) annonce les concerts de rock indépendant britannique. Le dimanche, à partir de 18h, vous pourrez faire le plein de vêtements et d'articles kitsch au marché vintage.

⭐ **TEATRO DELL'OPERA DI ROMA** *Opéra*
☎ 06 481 70 03, 800 01 66 65 appel gratuit ; www.operaroma.it ; Piazza Beniamino Gigli 1 ; billets 10-130 € ; ☺ oct-juin ; Ⓜ Repubblica
Puccini donna pour la première fois la Tosca à l'opéra de Rome, dont l'extérieur fascinant cache un intérieur classique tout en doré et velours, apprécié du beau monde. Une acoustique capricieuse incite à réserver plutôt une loge. En juillet-août, saison en plein air aux thermes de Caracalla (p. 133).

>SAN LORENZO ET IL PIGNETO

Ironie du sort, le 19 juillet 1943, San Lorenzo, quartier notoirement antifasciste, fut le seul à être frappé par un raid aérien allié. Des milliers d'habitants périrent et la basilique Saint-Laurent-hors-les-Murs fut sévèrement endommagée.

Coincé entre le plus vaste cimetière de la ville et le mur d'Aurélien de la Rome antique, le quartier évoque la Berlin d'autrefois, avec ses faucilles et ses marteaux sur les murs et son esprit de tolérance. Ici, les *nonni* (grands-pères) bavardent avec les punks et les bars de fortune côtoient les tables gastronomiques.

À quelques stations de tramway vers l'est, Il Pigneto est le "nouveau" San Lorenzo. Construit pour loger les travailleurs des chemins de fer au XIXe siècle, il était connu il y a encore quelques décennies pour ses taudis et ses larcins. C'est aujourd'hui le rendez-vous des artistes et des citadins branchés, qui se pressent dans ses *enoteche* (bars à vins), ses bars et ses boutiques originales.

Au sud de la voie ferrée, les petites rues de banlieue comme la Via Fazio degli Uberti et la Via Alipio présentent un mélange éclectique d'appartements faussement mauresques et de potagers blanchis par le soleil.

SAN LORENZO ET IL PIGNETO

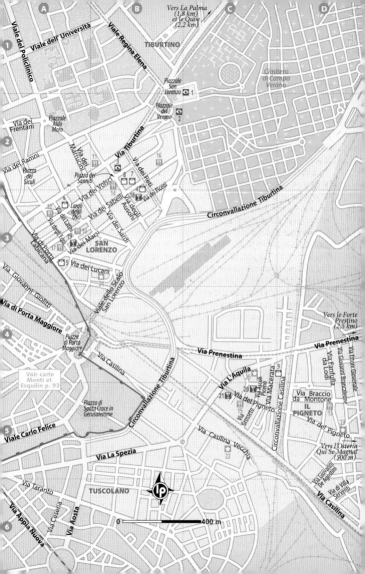

⊙ VOIR
⊙ CIMITERO DI CAMPO VERANO

Piazzale del Verano ;
🕑 **7h30-17h jan-mars et oct-déc, jusqu'à 18h avr-sept ;** 🚌 **Piazzale del Verano**

Le cimetière de San Lorenzo est un lieu émouvant, regorgeant de mausolées, d'épigraphes et d'anges de marbre. À gauche du cimetière, la **basilique Saint-Laurent-hors-les-Murs** (Basilica di San Lorenzo Fuori-le-Mura ; ☎ 06 49 15 11 ; 🕑 7h30-12h30 et 15h30-19h sept-juin, 7h30-12h et 16h-20h juil-août) se dresse sur le site où fut enseveli saint Laurent. Son portique du XIIIe siècle est orné de fresques et de somptueuses mosaïques décorent la chapelle de Pie IX, derrière le maître-autel.

⊙ GALLERIA PINO CASAGRANDE

☎ **06 446 34 80 ; Via degli Ausoni 7A ; gratuit ;** 🕑 **17h-20h lun-ven ;** 🚌 **Via Tiburtina**

Un monte-charge rejoint le 5e étage du légendaire Pastificio Cerere (voir encadré, ci-dessous), qui accueille dans cette excellente petite galerie des œuvres intelligentes et innovantes. Le photographe allemand Jan Bauer et l'artiste sonore romain Piero Mottola ont notamment été exposés.

🛍 SHOPPING
🛍 A.P.E. *Mode, accessoires*

☎ **06 446 35 97 ; Via dei Reti 42 ;** 🕑 **10h30-19h30 mar-ven, 10h30-13h30 et 16h30-19h30 sam ;** 🚌 🚋 **Via dei Reti**

Eleonora et Andrea réalisent des créations singulières à partir de

ART AL DENTE

Icône de l'art moderne italien, le **Pastificio Cerere** (☎ 06 454 22 960 ; www.pastificiocerere.com ; Via degli Ausoni 7 ; 🕑 15h-19h lun-ven ; 🚌 Via Tiburtina) fut d'abord, à sa création en 1905, une fabrique de pâtes géante. Abandonné en 1960, il séduit six artistes montants – Nunzio, Giuseppe Gallo, Piero Pizzi Cannella, Gianni Dessi, Marco Tirelli et Bruno Ceccobbelli –, qui s'emparèrent de la scène artistique nationale au début des années 1980 sous le nom de Nuova Scuola Romana (Nouvelle École romaine). En réaction au minimalisme dominant, ils proposèrent une renaissance des techniques de la vieille école en intégrant l'audace de la nouvelle école. Aujourd'hui, une nouvelle génération repousse les frontières dans ce monolithe industriel – à l'image de Maurizio Savini, célèbre pour ses sculptures en chewing-gum. Pour visiter les ateliers, faites une demande par e-mail (sur le site Internet) à la Fondazione del Pastificio Cerere, en spécifiant les artistes de votre choix. Sur le site, des liens permettent de découvrir le travail des artistes et la liste des prochaines expositions.

tissus vintage – œuvres d'art punk des années 1970 cousues sur des tee-shirts, sacs denim imprimés à l'effigie de Liz Taylor, colliers en chambre à air décorés avec des morceaux de lampes parisiennes, etc.

📷 BOCCA DI DAMA
Alimentation

☎ 06 443 41 154 ; www.boccadidama. it en italien ; Via dei Marsi 2-6 ; 🕐 11h-20h mar-sam et 15h-20h dim ; 🚌 Via Tiburtina

Jeunes et créatifs, les patrons de cette *pasticceria* (pâtisserie) d'un nouveau genre apportent aux douceurs traditionnelles des notes originales et contemporaines – chocolats maison assortis d'euphémismes, bonbons portant des noms comme le *bacio dell'architetto* (le baiser de l'architecte), etc. Gâteaux, biscuits et divines marmelades artisanales, exclusivement à base d'ingrédients naturels.

📷 CLAUDIO SANÒ *Accessoires*

☎ 06 446 92 84 ; www.claudiosano. it ; Largo degli Osci 67A ; 🕐 10h-13h et 16h30-20h lun-sam ; 🚌 Via Tiburtina

Envie d'un sac poisson ou d'une valise moustache ? L'artisan Claudio Sanò, basé à San Lorenzo, est le Salvador Dalí du cuir. Les accessoires de tous les jours se métamorphosent en créations

excentriques et vivantes. Bien sûr, cela a un prix.

📷 LA GRANDE OFFICINA
Bijoux

☎ 06 445 03 48 ; Via dei Sabelli 165B ; 🕐 10h30-19h30 lun-ven ; 🚌 🚋 Via dei Reti

Sous de vieilles lampes d'atelier, Giancarlo Genco son épouse Daniela Ronchetti créent des bijoux géométriques audacieux avec toutes sortes de choses – morceaux de vieilles horloges, éventails japonais, etc.

📷 LE TERRE DI AT *Céramiques*

☎ 06 49 17 48 ; www.leterrediangela. it ; Via degli Ausoni 13 ; 🕐 16h-20h lun-mer, 10h30-20h jeu-sam ; 🚌 Via Tiburtina

La céramiste Angela Torcivia réalise d'étonnantes pièces minimalistes – bijoux et bouchons de bouteille aux couleurs vives, lampes et bols raku, etc.

📷 RADIATION RECORDS
Musique

☎ 06 454 49 836 ; www.radiationrecords .net, www.myspace.com/radiationrecords ; Circonvallazione Casilina 44 ; 🕐 16h30-19h30 lun, 10h30-19h30 mar-sam ; 🚌 🚋 Via Prenestina

Des vinyles, des CD et des DVD – ska, funk, rocksteady, garage et concerts romains de groupes comme les Intellectuals. Des concerts sont parfois organisés dans la boutique, où s'est notamment produite la punkette Penelope Houston.

🍴 SE RESTAURER

🍴 ARANCIA BLU *Végétarien* €€
☎ 06 445 41 05 ; Via dei Latini 55-65 ; ⏰ 20h30-24h ; 🚇 Via Tiburtina

Ne manquez pas ce bistrot élégant, loué pour ses menus de dégustation végétariens – *polpette* (boulettes) aux asperges accompagnées d'une sauce au thé à la bergamote, raviolis farcis à la ricotta, au parmesan et au zeste de citron, etc. La carte des vins (plus de 400 crus) est présentée par un sommelier. Concert de jazz le mardi soir.

🍴 B-SAID *Café*
☎ 06 446 92 04 ; Via Tiburtina 135 ; ⏰ 10h-22h lun-sam ; 🚇 Via Tiburtina

Dans une chocolaterie des années 1920, où les vieilles machines et les chaises de créateur sont éclairées par des bougies, ce café prépare 9 sortes de chocolats chauds (essayez celui à la cardamome), d'extraordinaires pralines et gâteaux, et d'irrésistibles salades et quiches. La boutique adjacente vend de sublimes préparations à base de cacao, dont des pralines au thé rose japonais.

🍴 FORMULA UNO *Pizzeria* €
☎ 06 445 38 66 ; Via degli Equi 3 ; ⏰ 18h30-0h30 lun-sam ; 🚇 Via Tiburtina

Sous les ventilateurs et au milieu des posters de Ferrari, étudiants et banlieusards dégustent des *bruschette* croustillantes, des *supplì al telefono* (croquettes de riz fourrées à la mozzarella) et des pizzas à pâte fine bon marché.

🍴 NECCI *Café, trattoria* €
☎ 06 976 01 552 ; www.necci1924.com en italien ; Via Fanfulla da Lodi 68 ; ⏰ 8h-1h ; 🚌 Circonvallazione Casilina

Pier Paolo Pasolini adorait ce lieu désuet, où la bohème vient aujourd'hui manger au son de la pop des années 1960. Particulièrement animé en soirée, le Necci montre le vrai visage du Pigneto. Sirotez une bière en philosophant en terrasse, ou savourez de copieux plats maison en écoutant Little Tony sur le juke-box.

🍴 OSTERIA QUI SE MAGNA! *Osteria* €
☎ 06 27 48 03 ; Via del Pigneto 307A ; ⏰ 12h30-15h et 20h-23h lun-sam ; 🚌 Via Casilina

Perle du quartier, cette *osteria* animée et gay-friendly propose de savoureux plats bon marché comme les *pasta all'amatriciana* (pâtes à la tomate, à la pancetta et à la sauce pimentée), des viandes grillées et de la *puntarella* (chicorée du Latium avec des anchois, de l'ail et un soupçon de vinaigre). Réservez le week-end.

Un bon plat de pasta all'amatriciana – un classique

🍽 POMMIDORO *Trattoria* € €
☎ 06 445 26 92 ; Piazza dei Sanniti 44 ;
🕐 13h-15h et 20h-22h45 lun-sam ;
🚌 Via Tiburtina

Malgré les célébrités qui le fréquentent (dont Nicole Kidman), cet établissement centenaire est resté fidèle à ses racines de San Lorenzo, en respectant les classiques comme les spaghettis *alla carbonara* et le ragoût de queue de bœuf. Les viandes grillées comptent parmi ses spécialités et la gigantesque cheminée est bien agréable en hiver.

🍽 PRIMO *Restaurant, bar à vins* € €
☎ 06 701 38 27 ; www.primoalpigneto. it en italien ; Via del Pigneto 41-43 ;
🕐 19h-1h30 mar-sam, 12h30-15h30 et 19h-1h30 dim ; 🚌 Circonvallazione Casilina

L'élégant Primo incarne la nouvelle tendance du Pigneto. Après un *spritzer* au bar, glissez-vous sous les lampes basses pour découvrir des recettes audacieuses comme les calmars frits aux artichauts dans une sauce au *limoncello* ou le *semifreddo* (dessert glacé) à la vanille avec des mandarines chinoises et du vinaigre balsamique.

🍽 ROUGE *Osteria* €
☎ 06 494 08 63 ; Via dei Sabelli 193 ;
🕐 13h-15h et 20h-23h30 lun-ven, 13h-15h sam ; 🚌 🚋 Via dei Reti

Artistes, universitaires et ouvriers ne se lassent pas de ce lieu, avec son perroquet fou, ses vieux verres et ses spécialités comme la soupe de lentilles épicée et les pâtes *pappardelle*, accompagnées d'une sauce au foie et à la truffe. Un faux air de salon rétro, mais au son de Portishead.

🍽 UNO E BINO *Restaurant* € € €
☎ 06 446 07 02 ; Via degli Equi 58 ;
🕐 8h30-23h30 mar-dim ; 🚌 Via Tiburtina

Ce restaurant chic et primé à la lumière tamisée revisite admirablement les classiques, en combinant par exemple le pigeon avec du lait d'amandes, des pommes de terre cuites à la braise et des oignons. Les desserts sont une révélation, et les tables sont très convoitées. Réservez.

PRENDRE UN VERRE

BARÀBOOK *Bar à vins*

☎ 06 454 45 438 ; www.barabook.it en italien ; Via dei Piceni 23 ; 🕑 16h-24h mar-jeu, jusqu'à 2h ven-sam, 11h-20h dim ; 🚌 🚋 Via dei Reti

Un bar aux murs couverts de livres, d'œuvres d'art et d'objets rétro amusants. On s'assied à la longue table commune éclairée par des lampes basses pour lire, discuter et siroter le *spritzer* de la maison. Les vendredi et samedi, des DJ arrivent à l'heure de l'apéritif (à partir de 19h30). Le brunch du dimanche (12h30) régale les esprits cultivés.

FUZZY BAR *Bar à vins*

☎ 06 445 11 62 ; Via degli Aurunci 6 ; 🕑 18h-2h, fermé dim en été et lun en hiver ; 🚌 Via Tiburtina

Au Fuzzy, on ne badine pas avec le vin et la nourriture. L'*aperitivo* gastronomique privilégie les producteurs italiens et les dégustations vont des huiles aux vins, en passant par les cuisines régionales. Les fourneaux ferment à 0h30 du dimanche au jeudi. La liste de diffusion fuzzybar@libero.it), en italien, vous informera des prochains événements.

IL TIASO *Bar à vins*

☎ 333 284 52 83 ; Via Perugia 20 ; 🕑 18h-1h30 ; 🚌 Circonvallazione Casilina

ROME >112

Sur fond d'œuvres d'art pop aux murs et de biographies de Lou Reed coincées entre des bouteilles de vin, Gabriele, le patron trentenaire, fait entendre son dernier album des New York Dolls à des néo-beatniks et à des professeurs en velours côtelé. Le vin est au prix juste et l'ambiance, intimiste et détendue.

VINI E OLII *Bar à vins*

Via del Pigneto 18 ; 🕑 19h-2h ; 🚌 Circonvallazione Casilina

Avec ses faux airs de cave doublée d'un garage mal éclairé, le Vini E Olii est prisé de la bohème pour l'apéritif. Perché sur de minuscules tabourets en bois qui débordent sur la rue piétonnière, on boit le vin maison dans des verres en plastique, on mange de la *porchetta* (tranches de porc) à l'ancienne dans des assiettes jetables, et on refait le monde en écoutant du funk et du blues.

SORTIR

CIRCOLO DEGLI ARTISTI *Musique live, discothèque*

☎ 06 703 05 684 ; www.circoloartisti.it en italien ; Via Casilina Vecchia 42 ; tarifs variables ; 🕑 22h-3h30 mar-jeu, 21h-4h30 ven-sam ; 🚌 Via Casilina

Un peu à l'est du Pigneto, le Circolo est le lieu rêvé pour assister à des concerts de musique alternative (façon White

Stripes et Dinosaur Jr) et à des manifestations artistiques, ou pour passer une folle soirée en discothèque. Soirée gay Omogenic le vendredi ; punk-funk, ska et new-wave le samedi. Bar en plein air dans un agréable jardin.

⭐ FANFULLA 101
Arts, discothèque
www.myspace.com/fanfulla101 ;
Via Fanfulla da Lodi 101 ;
5 €, gratuit avec l'Arci-card ;
🕒 **variables, généralement 19h-2h ;**
🚌 **Circonvallazione Casilina**

Derrière une porte d'atelier non signalisée, ce centre culturel spartiate et rétro propose boissons bon marché, concerts de rock et de jazz, films d'art et d'essai, et reggae, house et pop japonaise sortis des platines des DJ. La cabane située de l'autre côté de la rue, à l'angle, apparaît dans *Accattone* de Pasolini.

⭐ LOCANDA ATLANTIDE
Arts, discothèque
☎ **06 44704540 ; www.locandatlantide.**
it en italien ; Via dei Lucani 22B ; 2-10 € ;
🕒 **22h-4h, fermé mi-juin à août ;**
🚌 🚋 **Viale dello Scalo San Lorenzo**

LA BANLIEUE QUI BOUGE

La banlieue de Rome compte d'excellentes discothèques :

Brancaleone (carte p. 176, H3 ; ☎ 06 820 00 959 ; www.brancaleone.it en italien ; Via Levanna 11 ; 5-15 € ; 🕒 22h30-4h jeu-sam, fermé mi-mai à mi-sept ; 🚌 Via Nomentana). Ce centre social (*centro sociale*) est l'un meilleurs clubs underground de Rome. Il attire un public jeune et alternatif, mais aussi des maîtres de l'électronique comme Tomas Andersson de Stockholm, Paul Kalkbrenner de Berlin et Jeff Mills de Détroit.

Forte Prenestino (☎ 06 218 07 855 ; www.forteprenestino.net en italien ; Via Federico Delpino Centocelle ; gratuit-20 € ; 🕒 variables ; 🚋 Via Prenestina). Dans une gigantesque forteresse du XIXᵉ siècle dotée de douves, ce centre social accueille toutes sortes d'événements de contre-culture, des concerts au marché mensuel de produits équitables terraTERRA (www.terraterra.noblogs.org en italien).

La Palma (☎ 06 435 99 029 ; www.lapalmaclub.it en italien ; Via Giuseppe Mirri 35 ; tarifs variables ; 🕒 20h30-2h lun-jeu, jusqu'à 3h ven-sam, fermé en août ; 🚌 Via di Portonaccio). Dans deux maisons du XVIIIᵉ siècle d'une ancienne ferme, La Palma mérite le détour pour son excellent jazz, ses DJ et sa musique classique. L'été, un paisible festival de jazz est organisé dans sa cour.

Qube (☎ 06 438 54 45 ; www.qubedisco.com en italien ; Via di Portonaccio 212 ; entrée avec 1 boisson 15 € ; 🕒 23h-5h jeu-sam mi-sept à mai ; 🚌 Via di Portonaccio). Sur plusieurs niveaux, le géant des clubs romains consacre le jeudi au rétro, au disco live et au death rock, le vendredi à la soirée gay Muccassassina (www.muccassassina.com en italien) et le samedi au hip-hop, au disco revival et à l'électro.

Pietro Ruffo
Artiste

Votre motivation d'artiste ? Les frontières et les limites me fascinent. Mes nouvelles peintures sont inspirées des frontières territoriales et des tensions qu'elles créent. **La scène romaine de l'art contemporain est…** florissante. Milan et Turin étaient traditionnellement les centres d'art contemporain de l'Italie. Aujourd'hui, c'est de plus en plus Rome. L'ouverture du MACRO (p. 178) et du MAXXI (p. 178) a créé une impulsion. Les collectionneurs s'intéressent de plus en plus aux talents émergents. **De bonnes adresses pour découvrir de nouvelles œuvres ?** Le Pastificio Cerere (voir encadré, p. 108), bien sûr. L'art mis à part, j'adore l'architecture industrielle. Sa Galleria Pino Casagrande (p. 108) expose souvent des artistes montants. Le MAXXI est aussi une bonne adresse.
Votre journée idéale à Rome ? Je la passerais à comparer les architectures baroques de Borromini et du Bernin. Borromini était un génie introverti. Bernin était surtout un sculpteur et davantage un homme du monde. Lire leur relation difficile à travers leurs œuvres me fascine.

La culture et la fête se rencontrent dans cet établissement toujours bondé. Décoré de vieux objets, il attire un public libéré adepte de la contre-culture dans une ruelle couverte de graffitis. Attendez-vous à tout : théâtre expérimental, mode, danse, art vidéo et électro sur les platines des DJ. Programme des concerts sur le site Internet.

✪ NUOVO CINEMA AQUILA
Cinéma

Via L'Aquila 68 ; 🚌 🚋 Via Prenestina
Tout juste rénové, le vieux cinéma du Pigneto est le nouveau rendez-vous culturel du quartier grâce à ses trois salles de cinéma luxueuses, ses espaces d'exposition, son bar et sa librairie spécialisée dans le septième art.

> CAELIUS ET LATRAN

L'une des sept collines de Rome, le Caelius (Celio) s'élève avec sérénité au sud du Colisée, émaillé de pittoresques églises médiévales, de murs de pierre érodés et de vastes vergers. À l'époque impériale, le secteur avait la faveur des patriciens et des politiques. Moins chanceux étaient les fauves du zoo local qui alimentaient les jeux du cirque voisin.

Aujourd'hui, le site témoigne encore de la lutte des premiers chrétiens. Les fresques de la Chiesa di Santo Stefano Rotondo et de la Basilica di San Clemente illustrent ainsi le martyre des saints éponymes, la Chiesa di SS Quattro Coronati, la conversion de l'empereur Constantin. Sous la Chiesa di SS Giovanni e Paolo, dédié à saint Jean et saint Paul morts décapités, des salles rappellent des temps où le christianisme se pratiquait secrètement.

Non loin du Caelius, le Latran célèbre en revanche le triomphe de la nouvelle religion sur le paganisme avec la Basilica di San Giovanni in Laterano, ses reliques et ses pèlerins fervents.

CAELIUS ET LATRAN

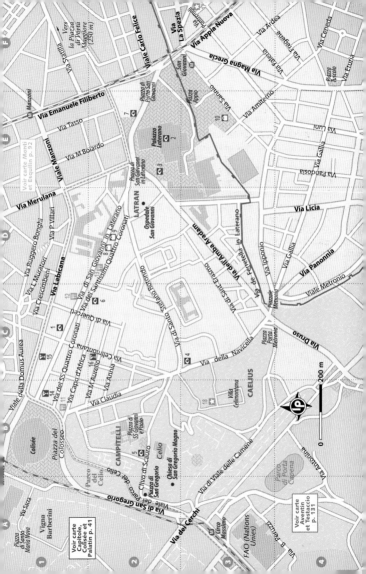

VOIR

BASILICA DI SAN CLEMENTE

☎ 06 774 00 21 ;
www.basilicasanclemente.com ; Via
di San Giovanni in Laterano ; fouilles
adulte/étudiant moins de 26 ans
5/3,50 € ; 🕙 9h-12h30 et 15h-18h lun-
sam, 12h-18h dim ; Ⓜ Colosseo
Cette basilique constitue à elle seule
un véritable voyage dans l'histoire.
Construite au IIe siècle, elle repose
en effet sur une église du IVe siècle,
elle-même bâtie sur une maison
romaine du Ier siècle contenant un
temple du IIe siècle dédié au dieu
perse Mithra. À cela s'ajoutent des
fresques Renaissance de Masolino
et Masaccio, une crypte couverte de
peintures du XIe siècle représentant
les miracles de saint Clément et le
son lugubre d'une rivière souterraine.

BASILICA DI SAN GIOVANNI IN LATERANO

☎ 06 698 86 433 ; Piazza di San Giovanni
in Laterano 4 ; 🕙 7h-18h30 ; Ⓜ San
Giovanni ; ♿

Le pavement cosmatesque du XVe siècle de la splendide Basilica di San Giovanni

La somptueuse cathédrale de Rome est aussi sa plus ancienne basilique, fondée par Constantin au IVe siècle. Résidence pontificale jusqu'au XIVe siècle, elle est dotée d'une imposante façade du XVIIIe siècle, magnifique exemple de baroque romain tardif conçu par Alessandro Galilei. Beaucoup plus anciennes, ses portes de bronze proviennent du Forum romain (p. 47). Borromini réaménagea l'intérieur de l'édifice, qui arbore un pavement cosmatesque du XIVe siècle et le fragment d'une fresque de Giotto derrière le premier pilier à droite de la nef. La légende veut que le monument funéraire de Sylvestre II, au pilier suivant, suinte et grince à la mort imminente d'un pape. Sous le baldaquin, le *confessio* renferme des fragments supposés de l'autel en bois de saint Pierre. La coupole du **baptistère** (🕑 7h30-12h30 et 16h-19h30) présente quant à elle des copies modernes de fresques d'Andrea Sacchi.

☉ CHIESA DI SANTO STEFANO ROTONDO

🕾 06 421 191 ; Via di Santo Stefano Rotondo 7 ; 🕑 9h-12h et 16h-18h mar-dim avr-sept, 9h30-12h30 et 15h-17h mar-sam, 9h30-12h30 dim oct-mars ; 🚌 Via della Navicella
Édifiée au Ve siècle, la première église circulaire de Rome renferme

des fresques du XVIe siècle, réalisées par Pomarancio et Antonio Tempesta, qui décrivent des scènes de martyre. Charles Dickens aurait dit à leur propos : "Il s'agit d'un tel tableau d'horreur et de boucherie qu'aucun homme n'aurait pu l'imaginer en cauchemar, eût-il avalé tout cru un porc entier au souper".

☉ CHIESA DI SS GIOVANNI E PAOLO

🕾 06 700 57 45 ; Piazza di SS Giovanni e Paolo ; 🕑 8h30-12h et 15h30-18h ; Ⓜ Colosseo ou Circo Massimo
Fondée au IVe siècle mais très remaniée, cette église passe relativement inaperçue. Dessous gisent pourtant deux **maisons** (🕾 06 704 54 544 ; www.caseromane.it ; adulte/12-18 ans et plus de 65 ans/moins de 12 ans 6/4 €/ gratuit ; 🕑 10h-13h et 15h-18h jeu-lun) de plusieurs étages, dont certaines salles portent des fresques. Elles auraient abrité les saints Jean et Paul, des officiers romains martyrisés pour leur foi chrétienne. Entrée sur le côté de l'édifice, dans le Clivo di Scaurio.

☉ CHIESA DI SS QUÁTTRO CORONATI

🕾 06 704 75 427 ; Via dei Santissimi Quattro Coronati 20 ; 🕑 église et cloître 9h30-12h et 16h-17h30 lun-sam, 9h30-10h30 et 16h-18h dim, chapelle San Silvestro 9h30-12h et 15h30-18h ; 🚌 Via Labicana

Cet austère couvent fortifié du XIIᵉ siècle conserve un campanile et une abside du IXᵉ siècle. Son cloître apaisant date quant à lui du XIIIᵉ siècle. Mais l'édifice vaut surtout pour les fresques du XIIIᵉ siècle vivement colorées de la chapelle San Silvestro dépeignant saint Sylvestre et Constantin.

🅒 SCALA SANTA ET SANCTA SANCTORUM

☎ 06 772 66 41 ; www.scalasanta. org en italien ; Piazza di San Giovanni in Laterano 14 ; Scala Sancta/Sancta Sanctorum gratuit/3,50 € ; Scala Santa 6h15-12h et 15h30-18h45 avr-sept, 6h15-12h et 15h-18h oct-mars, Sancta Sanctorum 10h30-11h30 et 15h30-16h30 avr-sept, 10h30-11h30 et 15h-18h oct-mars ; Ⓜ San Giovanni

Les 28 marches recouvertes de marbre de la Scala Santa, que les pèlerins chrétiens montent à genoux, seraient celles de l'escalier gravi par le Christ dans le palais de Ponce Pilate. Si vous sacrifiez au rituel, regardez en haut les fresques du XVIᵉ siècle fraîchement restaurées, puis celles du peintre flamand Paul Bril (XIIIᵉ siècle) qui décorent le Sancta Sanctorum ("saint des saints"), ancienne chapelle privée des papes.

🅗 SHOPPING

🅒 SOUL FOOD *Musique*

☎ 06 704 52 025 ; Via di San Giovanni in Laterano 192 ; 10h30-13h30 et 15h30-20h mar-sam ; Ⓜ San Giovanni

Les amateurs de musique trouveront ici de rares vinyles, de Jimmy Hendrix aux Stooges, en passant par l'électro et le low-fi punk. Tee-shirts rétro et objets fantaisie originaux raviront par ailleurs les adeptes du pop-trash.

🅒 SUZUGANARU *Mode*

☎ 06 704 91 719 ; Via di San Giovanni in Laterano 206 ; 16h-20h lun, 10h-13h et 16h-20h mar-ven, 10h-13h sam, fermé en août ; Ⓜ San Giovanni

---

LES MARCHES DU PARADIS

Chaque année, des bataillons de chrétiens mettent leurs rotules à rude l'épreuve en montant à genoux la Scala Santa (ci-dessus) dans le but d'expier leurs péchés. En 1510, Martin Luther rebroussa chemin à mi-hauteur, réalisant qu'il ne croyait pas à la divinité des reliques.

En 1845, un Charles Dickens tout aussi sceptique déclara en regardant les fidèles catholiques qu'il n'avait jamais rien vu de plus ridicule et déplaisant. La même pensée a sans doute traversé l'esprit de ceux qui ont récemment restauré les lieux quand il leur a fallu décoller les chewing-gums des marches. Les vilains vandales n'ont probablement pas reçu leur indulgence au sommet de l'escalier.

De magnifiques fresques du XVI° siècle font oublier la douleur aux fidèles qui gravissent à genoux la Scala Santa

La photographe et styliste de mode Marcella Manfredini conçoit des vêtements fantasques asymétriques pour les princesses urbaines qui veulent se distinguer, ainsi que des accessoires dans le même esprit. Parmi les créateurs étrangers, citons Tomoko Harakawa pour ses ceintures drapées et la marque japonaise Family Affair pour ses sacs en feutre excentriques. À côté, les modèles masculins s'avèrent plus discrets mais tout aussi branchés, mélange de style scandinave décontracté et de coupe à l'italienne.

📷 **VIA SANNIO** *Marché*
🕐 **8h-13h lun-sam ; Ⓜ San Giovanni**

Un marché animé du matin, idéal pour renouveler sa garde-robe : vêtements neufs et vintage, vestes en cuir, jeans et chaussures bon marché. Ceux qui savent farfouiller seront récompensés.

🍴 SE RESTAURER

🍴 **CRAB** *Fruits de mer* €€€
☎ **06 772 03 636 ; Via Capo d'Africa 2 ;**
🕐 **20h-21h30 lun, 13h-15h et 20h-23h30 mar-sam ; Ⓜ Colosseo**
Aménagé dans un ancien entrepôt à deux pas du Colisée, ce restaurant haut de gamme sert de succulents fruits de mer avec une influence clairement scandinave. Goûtez surtout les *taglioni al granchio porro* (pâtes à

la sauce tomate et aux pinces de crabe marinées dans le vin) ou les spécialités de la maison, les huîtres bretonnes et le homard catalan. Sublime.

🍴 HOSTARIA ISIDORO
Osteria €

☎ 06 700 82 66 ; www.hostariaisidoro. com ; Via di San Giovanni in Laterano 134 ; ⏱ 12h30-15h et 19h30-23h mar-dim ; Ⓜ Colosseo

Convivial et sans chichis, l'endroit tient la bonne formule : serveurs obligeants, clientèle locale alléchée et portions copieuses. Poulet rôti au gorgonzola et délicates *penne alle noci* (pâtes sauce aux noix), entre autres.

🍴 LA TANA DEI GOLOSI
Restaurant € €

☎ 06 772 03 202 ; www.latanadeigolosi. it en italien ; Via di San Giovanni in Laterano 220 ; ⏱ 19h30-23h30 lun-sam ; Ⓜ Colosseo

Les fines bouches doivent se précipiter vers la "tanière des gourmands", qui ne paye pourtant pas de mine. Renouvelée deux fois par mois, la carte met à l'honneur la cuisine de différentes régions d'Italie : la Vénétie avec le risotto aux moules et fenouil ou le Piémont avec le porc aux prunes et abricots, par exemple. L'établissement utilise des ingrédients souvent bio et toujours exceptionnels.

🍸 PRENDRE UN VERRE

🍸 COMING OUT
Bar gay et lesbien

☎ 06 700 98 71 ; Via di San Giovanni in Laterano 8 ; ⏱ 11h-2h ; Ⓜ Colosseo

Par une chaude soirée, quand une foule vivante investit la rue, il n'y a pas plus agréable que ce bar sans prétention pour boire une bière sur fond de Colisée. Essentiellement gay, c'est un "before" prisé et un lieu propice pour rencontrer de nouveaux amis.

🍸 BAR DE L'HÔTEL GLADIATORI *Bar*

☎ 06 775 91 380 ; Via Labicana 125 ; ⏱ 16h-24h ; Ⓜ Colosseo

Quand le Campari rencontre le Colisée. Un splendide bar d'hôtel assorti d'une terrasse fleurie avec vue sur le cirque antique. Ambiance romantique garantie pour un cocktail au coucher du soleil.

🍸 IL PENTAGRAPPOLO
Bar à vins

☎ 06 709 63 01 ; Via Celimontana 21B ; ⏱ 12h-15h et 18h-1h mar-dim ; 🚌 Colosseo

Avec sa voûte étoilée et sa douce atmosphère, l'endroit se prête parfaitement à la détente après une overdose de visites. Dans une ambiance musicale, au milieu d'élégants Italiens, vous pourrez choisir parmi une sélection de 15 vins au verre et 250 à la bouteille, tout en grignotant une savoureuse bruschetta ou une assiette de fromages. Concert de jazz ou de soul à partir de 22h environ.

⭐ SORTIR

⭐ SKYLINE *Bar Gay*

☎ 06 700 94 31 ; www.skylineclub.it en italien ; Via Pontremoli 36 ; entrée avec la carte de membre Arcigay ; ⏱ 22h30-4h ; Ⓜ San Giovanni

Un bar sur deux étages qui attire une clientèle décontractée, majoritairement gay, séduite par la salle vidéo, les espaces de drague et les alcôves facilitant les rapprochements. Soirée nue le lundi.

⭐ VILLA CELIMONTANA *Parc*

⏱ lever au coucher du soleil ; 🚌 Via della Navicella

Pins et palmiers luxuriants, ruines romaines éparses et villa du XVIe siècle composent le cadre de ce parc reposant au sommet d'une colline, injustement sous-estimé. Un modeste terrain de jeu permet aussi aux enfants de se défouler. Sinon, le **Villa Celimontana Jazz Festival** (www. villacelimontanajazz.com ; voir aussi p. 24) s'y déroule tout l'été.

>VOIE APPIENNE

Dans l'Antiquité romaine, on inhumait les morts hors de l'enceinte urbaine, notamment le long de la voie Appienne (Via Appia Antica), la route tracée au IVe siècle av. J.-C. qui reliait Rome au port adriatique de Brindisi, 590 km au sud-est.

Surnommée la Regina Viarum ("Reine des routes"), celle-ci est aujourd'hui encore jalonnée de tombeaux majestueux formant une vaste nécropole païenne. Sur le site, les premiers chrétiens creusèrent aussi un réseau de catacombes souterraines de 300 km destinés à leurs martyrs et défunts.

Pillées par les Goths et les Normands, ces sépultures réduites à l'état de ruines attirèrent au XVIIIe siècle les voyageurs du Grand Tour, suivis dans les années 1960 par les vedettes du cinéma italien qui firent construire de somptueuses villas dans ce cadre vert et bucolique.

Si l'on oublie les constructions illégales et le bruit de la circulation (pas de voiture le dimanche, heureusement), la voie Appienne demeure l'un des lieux les plus photogéniques de Rome. Pour une vue d'ensemble, rendez-vous à la Porta San Sebastiano où, avec un peu de chance, le gardien vous laissera grimper au sommet de la tour.

VOIE APPIENNE

◉ VOIR

⦿ SE RESTAURER

★ SORTIR

◉ VOIR

◉ BASILICA E CATACOMBE DI SAN SEBASTIANO

☎ 06 785 03 50 ; Via Appia Antica 136 ; basilique : entrée libre, catacombes : adulte/7-15 ans/moins de 7 ans 5/3 €/gratuit ; 🕓 8h30-12h et 14h30-17h30 lun-sam, fermé mi-nov–mi-déc ; 🚌 Via Appia Antica

Cette nécropole souterraine "près d'une carrière" (*kata kymbas* en grec), la première à porter le nom de catacombe, renferme trois mausolées païens parfaitement conservés décorés de fresques, de mosaïques et de stucs du IIe siècle. L'une des flèches du martyre de saint Sébastien, ainsi qu'une dalle de pierre portant l'empreinte miraculeuse du pied de Jésus (voir plus bas pour en savoir plus) sont dans la basilique du IIe siècle qui a subi moult modifications.

◉ CATACOMBE DI SAN CALLISTO

☎ 06 513 01 580 ; www.catacombe.roma.it ; Via Appia Antica 110 ; adulte/6-15 ans/moins de 6 ans 5/3 €/gratuit ; 🕓 9h-12h et 14h-17h jeu-mar, fermé fév ; 🚌 Via Appia Antica

Les catacombes de saint Calixte, les plus vastes de Rome (20 km de galerie et d'autres restant à explorer), abritent des milliers de tombeaux, dont ceux de seize papes et la crypte de sainte Cécile. Fondées au IIe siècle, elles devinrent le cimetière officiel

de la nouvelle Église catholique au début du siècle suivant. La sépulture de sainte Cécile, ouverte en 1599, dévoila un corps intact dont Stefano Maderno s'inspira pour sa sculpture placée dans la basilique Santa Cecilia in Trastevere (p. 147).

◉ CATACOMBE DI SANTA DOMITILLA

☎ 06 511 03 42 ; Via delle Sette Chiese 283 ; adulte/6-15 ans/moins de 6 ans 5/3 €/gratuit ; 🕓 9h-12h et 14h-17h mer-lun, fermé jan ; 🚌 Via Appia Antica

Les catacombes de sainte Domitille, établies sur la sépulture de Flavia Domitilla, nièce de l'empereur Domitien, renferment des peintures murales païennes et paléochrétiennes, 2 000 tombes encore scellées et une église souterraine (IVe siècle), la Chiesa di SS Nereus e Achilleus dédiée à deux légionnaires romains martyrisés. La fresque du Ve siècle, délavée mais intacte, représentant saints Pierre et Paul est admirable.

◉ CHIESA DEL DOMINE QUO VADIS?

Via Appia Antica 51 ; 🕓 8h30-12h30 et 14h30-18h45 ; 🚌 Via Appia Antica

Cette minuscule église marque l'endroit où saint Pierre, fuyant les persécutions de Néron, aurait vu le Christ. "Domine, quo vadis ?" (Seigneur, où vas-tu ?), aurait-il demandé. Jésus lui répondant qu'il

Fausto Zevi
Archéologue et professeur à l'université La Sapienza

Pour un itinéraire classique bien mené commencez par l'art de la Rome antique avec la Domus Aurea (p. 95) et le Palatin (p. 46), dont les fresques comptent parmi les plus belles. Explorez ensuite l'ancien port marchand d'Ostia Antica (p. 143). Pour voir les ruines du Grand Tour, dirigez-vous vers la voie Appienne. **L'architecture contemporaine a-t-elle sa place dans la ville antique ?** Certainement. La difficulté consiste juste à concevoir une architecture qui comprenne et respecte l'histoire alentour. La pyramide de verre du Louvre ne jure pas dans son contexte. Le Museo dell'Ara Pacis (p. 75) imaginé par Richard Meier, si. **Pourquoi ?** Il est invasif et oppressant. Il ne dialogue pas avec les monuments qui l'environnent. L'autel lui-même a été transféré de son site et de son cadre historique d'origine et, maintenant, le pavillon de Meier a scellé son destin. Pire encore, la controverse soulevée par le projet a renforcé l'idée que l'architecture moderne n'est pas compatible avec le cœur du vieux Rome.

allait à Rome pour y être crucifié une seconde fois, Pierre décida de regagner la ville où il fut martyrisé. Le tableau du Caravage *La Crucifixion de saint Pierre*, dans la Chiesa Santa Maria del Popolo (p. 74) illustre son supplice.Au centre du bas-côté se trouvent deux empreintes des pieds de Jésus, copies des "originaux" conservés dans la Basilica di San Sebastiano (p. 126).

⊙ CIRCO DI MASSENZIO

☎ 06 780 13 24 ; Via Appia Antica 153 ; adulte/enfant 2,60/1,60 € ; ☉ 9h-13h mar-sam ; 🚌 Via Appia Antica

Ce cirque antique de 10 000 places, l'un des mieux préservés de Rome, fut édifié par Maxence vers 309. On voit encore les traces des stalles de départ des courses. Surplombant l'extrémité nord de la piste, les ruines de la résidence impériale de Maxence restent inexplorées. À proximité, la tombe de Romulus fut érigée par Maxence pour son jeune fils.

⊙ MAUSOLEO DI CECILIA METELLA

☎ 06 780 24 65 ; Via Appia Antica 161 ; entrée incluant les Terme di Caracalla et la Villa dei Quintili adulte/18-24 ans de l'UE/ moins de 18 ans et plus de 65 ans de l'UE 6/3 €/gratuit ; ☉ 9h-19h30 avr-août, jusqu'à 19h sep, 18h30 oct, 16h30 nov–mi-fév, 17h mi-fév–mi-mars, 17h30 mi-fin mars, fermé lun ; 🚌 Via Appia Antica

Ce mausolée cylindrique (Ier siècle av. J.-C.) fut transformé en fort au XIVe siècle par les Caetani pour prélever un droit de passage. Au-delà du tombeau, un tronçon pittoresque de la voie antique d'origine a été mis au jour vers le milieu du XIXe siècle.

⊙ PORTA SAN SEBASTIANO

☎ 06 704 75 284 ; Via di Porta San Sebastiano ; adulte/tarif réduit/moins de 18 ans et plus de 65 ans 2,60/1,60 €/ gratuit ; ☉ 9h-14h mar-dim ; 🚌 Porta San Sebastiano

VAUT LE DÉTOUR

Posée au milieu de champs verdoyants, la **Villa dei Quintili** (☎ 06 718 24 85 ; accès au 1092 de la Via Appia Nuova ; entrée incluant le Mausoleo di Cecilia Metella et les Terme di Caracalla adulte/18-24 ans de l'UE/moins de 18 ans et plus de 65 ans de l'UE 6/3 €/gratuit ; ☉ 9h-16h30 jan–mi-fév et nov-déc, jusqu'à 17h de mi-fév à mi-mars, 17h30 15-30 mars, 19h15 avr-août, 19h sept, 18h30 oct, fermé lun) luxueuse demeure patricienne, fut construite au IIe siècle par deux frères consuls sous Marc-Aurèle. Plus tard, l'empereur Commode qui la convoitait en fit assassiner les deux propriétaires. Elle comporte notamment un nymphée et des thermes jadis somptueux, dont on peut voir la piscine, le *caldarium* (salle chaude) et le *frigidarium* (salle froide).

Remontez le cours de l'histoire romaine le long de l'antique voie Appienne (Via Appia Antica)

La porte la mieux conservée de Rome, élevée au Ve siècle, fait partie du mur d'Aurélien quasi intact que l'empereur fit bâtir au IIIe siècle contre les assauts barbares. À l'intérieur, un modeste musée vous éclairera sur les fortifications antiques de la ville.

SE RESTAURER

L'ARCHEOLOGIA
Restaurant € €
☎ 06 788 04 94 ; www.larcheologia.it ; Via Appia Antica 139 ; 🕒 12h30-15h et 20h-23h mer-lun ; 🚌 Via Appia Antica
Près des catacombes de Saint-Sébastien, ce restaurant est orné de compositions florales sophistiquées, de draperies de velours et de la plus vieille glycine d'Europe. Des familles italiennes pomponnées s'y pressent le dimanche pour déguster une cuisine authentique. Les *spaghetti primavera* (aux courgettes, tomates, basilic et crevettes) sont délicieuses et le service attentionné.

SORTIR

BUREAU D'INFORMATION DU PARC APPIA ANTICA
Location de vélos
☎ 06 513 53 16 ; www.parcoappiaantica.org ; Via Appia Antica 58-60 ; 3/10 €/heure/jour ; 🕒 9h30-17h30 en été, jusqu'à 16h30 en hiver ; 🚌 Via Appia Antica
Le dimanche, la voie Appienne, interdite à la circulation, est idéale pour pédaler.

>AVENTIN ET TESTACCIO

L'Aventin, la plus au sud des sept collines de Rome, flanque les ruines imposantes des thermes de Caracalla, où les Romains de l'Antiquité s'adonnaient à leurs ablutions. On y accède aisément en grimpant le Clivo di Rocca Savelli, une rue piétonne qui part de la Via Santa Maria in Cosmedin, au bord du Tibre. Au sommet, des villas bourgeoises de style Liberty (Art nouveau italien) et des jardins luxuriants côtoient l'austère basilique Sainte-Sabine, rare vestige historique dans un quartier saccagé par les Goths au Ve siècle. Mais cette relative absence de monuments majeurs est largement compensée par les vues à se pâmer que réservent certaines places cachées et terrasses divinement parfumées.

Au sud-ouest, le Testaccio dégage une atmosphère toute autre, beaucoup plus terre-à-terre, avec ses supporters acharnés de l'AS Roma et son marché du matin authentique. C'est l'endroit où déguster les fameuses tripes à la romaine et s'intéresser à l'art contemporain de MACRO Future, ancien abattoir transformé en galerie. Montez ensuite la Via di Monte Testaccio où des discothèques géantes jalonnent une butte formée de tessons de poteries provenant d'un port antique depuis longtemps disparu.

AVENTIN ET TESTACCIO

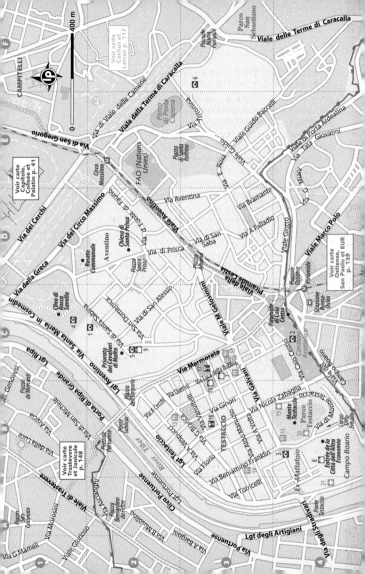

👁 VOIR

👁 BASILICA DI SANTA SABINA
☎ 06 5 79 41 ; Piazza Pietro d'Illiria 1 ;
🕐 6h30-12h45 et 15h-19h ; 🚌
Lungotevere Aventino
D'une sublime simplicité, cette
basilique monumentale du Ve siècle
possède des portes d'origine
en cyprès sculpté portant l'une
des plus anciennes scènes de
crucifixion existante. Des colonnes
corinthiennes d'époque séparent les
différentes nefs. Saint Dominique
aurait planté dans le paisible cloître
du XIIIe siècle le premier oranger
d'Italie.

👁 CIMITERO ACATTOLICO PER GLI STRANIERI
☎ 06 574 19 00 ; www.
protestantcemetery.it ; Via Caio Cestio 5 ;
entrée libre ou don de 2 € ; 🕐 9h-17h
lun-sam, 9h-13h dim ; Ⓜ Piramide
Percy Shelley écrivit à propos
du "cimetière non-catholique
(protestant) pour étrangers" : "On
aimerait presque la mort en sachant
que l'on sera enterré dans un lieu
aussi serein". C'est bien ce qu'il
advint de sa dépouille, de même
que celle de son contemporain
le poète romantique John Keats.
Une promenade dans les allées
vous fera découvrir bien d'autres
célébrités, dont le fondateur du
Parti communiste italien Antonio
Gramsci.

👁 MACRO FUTURE
☎ 06 574 26 47 ; www.macro.roma.
museum ; Piazza Orazio Giustiniani 4 ;
entrée libre ; 🕐 16h-24h mar-dim ;
Ⓜ Piramide ; ♿
La seconde galerie MACRO (la
principale se trouve dans le nord de
la ville ; voir p. 178) donne à voir des
œuvres d'art expérimentales dans
deux immenses halls industriels des
anciens abattoirs de Rome. Anish
Kapoor, John Bock et le collectif
russe AES+F figurent parmi les
artistes récemment exposés.

👁 PARCO SAVELLO
Via di Santa Sabina ; 🕐 lever au coucher
du soleil ; 🚌 Lungotevere Aventino
Les peintres, les amoureux et les
chats adorent ce parc de poche
surnommé le Giardino degli Aranci
(jardin des orangers) pour ses
orangers odorants. Installez-vous
sur la terrasse et contemplez le soleil
qui se couche au son des cloches
d'église, du vent et des sirènes.

👁 PIAZZA DEI CAVALIERI DI MALTA
🚌 Lungotevere Aventino
Cette place paisible à l'ombre des
cyprès doit son nom aux chevaliers
de l'ordre de Malte, qui avaient ici
leur prieuré. Elle est surtout connue
pour le trou de serrure de la porte
principale qui offre une des meilleures
vues de Rome. Pour en profiter,
joignez-vous à la file des touristes.

L'art contemporain est à l'honneur dans la galerie MACRO Future

⊙ TERME DI CARACALLA

☎ 06 575 86 26 ; Viale delle Terme di Caracalla 52 ; entrée incluant le Mausoleo di Cecilia Metella et la Villa dei Quintili adulte/18-24 ans de l'UE/ moins de 18 ans et plus de 65 ans de l'UE 6/3 €/gratuit ; ⌚ 9h-14h lun, 9h-16h30 mar-dim ; Ⓜ Circo Massimo ; ♿

Ces thermes du IIIe siècle couvrant 10 ha comptaient une piscine richement décorée, des salles chaudes, un *tepidarium* (salle tiède), des équipements sportifs, des bibliothèques, des boutiques et des jardins. Sous l'établissement, des centaines d'esclaves s'occupaient de la maintenance du système de plomberie dans 9,5 km de galeries. Les hauts pans de murs et

les mosaïques à thème aquatique qui subsistent témoignent de sa splendeur passée, mais ses principaux trésors résident désormais aux musées du Vatican (p. 168). Au sujet du Mausoleo di Cecilia Metella et de la Villa dei Quintilli, reportez-vous p. 128.

🛍 SHOPPING

◻ CALZATURE BOCCANERA

Chaussures

☎ 06 575 68 04 ; Via Luca della Robbia 36 ; ⌚ 9h30-13h30 et 15h30-19h30 mar-sam, 15h30-19h30 lun ; 🚌 🚋 Via Marmorata

Le quartier un peu délabré du Testaccio prend une allure plus glamour dans ce magasin rétro qui

LA CITTÀ DELL'ALTRA ECONOMIA

Inaugurée en septembre 2007, la **Città dell'Altra Economia** (Cité de l'Autre économie, voir plus bas) est le premier centre européen consacré au commerce équitable, au business et à la culture. Elle occupe l'Ex-Mattatoio (ancien abattoir) du Testaccio, transformé en un élégant complexe design de style industriel et renferme des entreprises à visage humain, des boutique, un espace d'exposition, un **bar-restaurant bio** (☎ 334 279 58 91 ; 🕐 bar 11h-20h mar-dim, restaurant 20h-22h30 mar-sam, 12h30-14h30 et 20h-22h30 dim) et même une banque éthique. L'ensemble fait face à la vaste étendue vide du Campo Boario où le Fair Trade Festival se tient chaque année, d'ordinaire en juin. Consultez le site web pour connaître les dates.

vend des chaussures de grandes marques comme Hogan, Cesare Piaciotti, Prada, D&G et Gucci, ainsi que des sacs. Bonnes affaires durant les soldes.

🏠 CITTÀ DELL'ALTRA ECONOMIA *Commerce équitable*

www.cittadellaltraeconomia.org en italien ; Largo Dino Frisullo ; Ⓜ Piramide
La Città dell'Altra Economia (Cité de l'Autre économie): Spazio Bio
(☎ 392 995 76 23 ; 🕐 11h-20h mar-ven, 10h-20h sam, 10h-19h dim) abrite deux boutiques proposant des produits alimentaires et des vins bio issus du commerce équitable. On y trouve aussi la **Bottega di Commercio Equo e Solidale** (☎ 331 474 53 67 ; 🕐 11h-20h mar-ven, 10h-21h, 10h-20h dim), qui vend des vêtements et accessoires écologiques créés par des stylistes avec de matériaux recyclables : sacs en emballages de sucettes, portefeuilles en briques de lait et lampes fabriquées à partir de cafetières napolitaines.

🏠 IL NEGOZIO BENEDETTINO DELLA BADIA PRIMAZIALE DI SANT'ANSELMO *Produits alimentaires et cosmétiques*

☎ **06 579 11 ; Piazza dei Cavalieri di Malta 5 ; 🕐 10h-12h et 16h-19h mar-dim ; 🚌 Lungotevere Aventino**
Sur le domaine de l'abbaye de Sant'Anselmo qui borde la Piazza dei Cavalieri di Malta, ce petit magasin décline un vaste choix de produits monastiques originaires du monde entier, de la bière fabriquée par des religieux allemands au miel de Norcia, en passant par les cosmétiques de Praglia et le chocolat en plaquette des trappistes.

🏠 MERCATO DI TESTACCIO *Marché*

Piazza Testaccio ; 🕐 7h30-13h30 lun-sam ; 🚌 🚃 Via Marmorata
Le fameux marché matinal du Testaccio se révèle très pittoresque. Imaginez un peu des cagettes remplies de moules, des comptoirs

débordants de fromages et une succession d'étals de chaussures à prix modiques. Arrivez de bonne heure et achetez sur place une part de *pizza rossa* (pizza à la tomate) avant de partir en quête de la bonne affaire.

ᵧᵢ SE RESTAURER

ᵧᵢ CHECCHINO DAL 1887

Restaurant € € €

☎ 06 574 63 18 ; www.checchino-dal-1887.com ; Via di Monte Testaccio 30 ; ⏱ 12h30-15h et 20h-24h mar-sam, fermé août ; Ⓜ Piramide

À deux pas des anciens abattoirs, cette table élégante est spécialisée comme il se doit dans les abats. Mentionnons en particulier les crémeux *rigatoni alla pajata* (pâtes aux intestins de veau sous la mère) et les menus dégustation. Si vous le demandez gentiment, on vous montrera la cave aménagée sous la colline artificielle (voir l'encadré p. 137).

ᵧᵢ DA FELICE *Trattoria* € €

☎ 06 574 68 00 ; Via Mastro Giorgio 29 ; ⏱ 12h30-14h45 et 20h-23h30 lun-sam, 12h30-14h45 dim ; 🚌 🚊 Via Marmorata

L'acteur et cinéaste Roberto Benigni écrivit un jour une ode à cet établissement. Elle est désormais accrochée à gauche de l'entrée. Anciennement tenu par l'irascible Felice, l'établissement a

été réaménagé dans un style chic postindustriel et attire à présent une clientèle bling-bling. La carte reste cependant authentiquement romaine, qu'il s'agisse d'abats ou de réconfortants tortellinis en bouillon.

ᵧᵢ PIZZERIA REMO *Pizzeria* €

☎ 06 574 62 70 ; Piazza Santa Maria Liberatrice 44 ; ⏱ 19h-1h lun-sam ; 🚌 🚊 Via Marmorata

Guère propice aux tête-à-tête amoureux, l'endroit est en revanche l'une des pizzerias les plus appréciées de Rome. Inscrivez votre choix sur la feuille de papier que vous tend d'un geste vif un serveur débordé et l'on vous apportera une énorme pizza fumante aux bords noircis. Attendez-vous à faire la queue après 20h30.

ᵧᵢ SAPORI DELLA PERSIA

Iranien €

☎ 06 688 06 629 ; Via Beniamino Franklin 11 ; ⏱ 12h-2h lun-sam, 20h-2h dim ; 🚌 🚊 Via Marmorata

Sympathique, bon marché et rempli d'étudiants, le minuscule restaurant de Reza se résume à une poignée de chaises et de banquettes, quelques cartes postales d'Iran et deux comptoirs accueillant les plats parfaitement cuisinés de son épouse. Le riz au zeste d'orange, aux pistaches et au safran, les boulettes de veau aux pommes de terre et oignons et le halva moelleux, tous présentés en grosses quantités sur

Gorgonzola à foison chez Volpetti (ci-dessous)

de modestes assiettes jetables, méritent une mention spéciale.

⊞ VOLPETTI *Traiteur* €
☎ 06 574 23 52 ; www.volpetti.com ; Via Marmorata 47 ; ⏲ 8h-14h et 17h-20h15 lun-sam ; 🚌 🚋 Via Marmorata
Sans doute le meilleur traiteur de Rome, Volpetti vend toutes sortes de produits alimentaires : *provola* épicée, pain frais, jambons, huiles d'olive, vins, plaques de *torrone* (nougat) et raviolis maison fourrés aux endives et au *taleggio*. Le personnel se montre

serviable et l'on peut commander en ligne. En cas de petit creux, vous pourrez quitter les lieux avec toute une gamme de plats préparés.

⊞ VOLPETTI PIÙ *Buffet* €
☎ 06 574 43 06 ; Via Alessandro Volta 8 ; ⏲ 10h30-15h30 et 17h30-21h30 lun-sam ; 🚌 🚋 Via Marmorata
Une des rares adresses où l'on peut s'asseoir et se gaver pour moins de 15 €, cette somptueuse *tavola calda* regorge de pizzas, pâtes, soupes, légumes et fritures dorées. Arrivez tôt pour éviter d'attendre.

⅋ PRENDRE UN VERRE

⅋ L'OASIS DELLA BIRRA
Bar à bières et à vins
☎ 06 574 61 22 ; Piazza Testaccio 41 ; ⏲ 7h30-13h30 et 16h30-2h lun-sam, 7h30-1h dim ; 🚋 🚌 Via Marmorata
Serré dans les caves de l'"Oasis de la bière", vous aurez l'embarras du choix entre plus de 500 bières, des grandes marques allemandes aux spécialités locales les plus fines. Les amateurs de vin sont également gâtés et peuvent accompagner leur verre d'une *bruschetta*, de fromages ou de ragoûts russes roboratifs.

⅋ LINARI *Café*
☎ 06 578 23 58 ; Via Nicola Zabaglia 9 ; ⏲ 7h-23h mer-lun ; 🚌 🚋 Via Marmorata

Les mères de famille du Testaccio viennent ici bavarder l'après-midi. La salle au décor très années 1980 résonne de blagues de comptoir, tandis que d'appétissantes pâtisseries garnissent le bar.

⭐ SORTIR

Le quartier, riche en discothèques le long de la Via di Monte Testaccio, constitue le haut lieu du clubbing à Rome. Des files d'attente se forment le samedi soir quand les jeunes de banlieue viennent en ville pour faire la fête.

⭐ AKAB *Discothèque*

☎ 06 574 78 26 ; www.akabcave.com en italien ; Via di Monte Testaccio 68-9 ; entrée 10-20 € ; ⏱ 24h-5h mar-sam ; Ⓜ Piramide
Dans cet ancien atelier hétéroclite composé d'une cave, d'un étage et d'un jardin, les videurs vous laissent entrer ou non selon leur bon vouloir. Électro le mardi, musique rétro le mercredi, R&B le jeudi, concerts le vendredi et house le samedi.

⭐ METAVERSO *Discothèque*

☎ 06 574 47 12 ; Via di Monte Testaccio 38 ; entrée 5-7 € ; ⏱ 22h30-5h ven-sam, fermé juil-août ; Ⓜ Piramide
La discothèque la plus petite et la plus sympa du Monte Testaccio accueille

LE MONTE TESTACCIO

Coincé entre l'Ex-Mattatoio et le Cimetero Acatollico per gli Stranieri, le **Monte Testaccio** (B4 ; ☎ 06 671 03 819 ; Via Galvani ; ⏱ sur rendez-vous) est une colline artificielle de 45 m de haut. Dans l'Antiquité, un port fluvial occupait le secteur. Or, les amphores vides étaient souvent jetées dans le Tibre. Quand la voie d'eau devint impraticable en bateau, on empila les tessons des amphores pour en faire cette butte herbeuse.

un public alternatif et décontracté. Des DJ italiens ou étrangers passent de l'électro et du hip-hop. Des soirées spéciales sont organisées le samedi, dont Phang Off pour les gays et Twiggy en hommage aux sixties.

⭐ VILLAGGIO GLOBALE *Centro Sociale*

☎ 06 573 00 329 ; www.vglobale.biz en italien ; Lungotevere Testaccio ; tarif variable ; ⏱ 9h-1h lun-sam ; Ⓜ Piramide
Hébergé dans les anciens abattoirs, ce *centro sociale* (voir p. 199) mythique fréquenté par les babas à dreadlocks et la faune hip-hop programme des concerts de groupes qui bougent comme Massive Attack et The Bishops, des Anglais indie.

>OSTIENSE, SAN PAOLO ET EUR

Très postindustriel, Ostiense a la cote auprès des hédonistes, des artistes et des investisseurs qui ont du flair pour détecter les quartiers montants. À l'ombre des gazomètres géants, les clubbers s'en donnent à cœur joie dans les usines reconverties, d'anciens garages servent désormais de lieux d'exposition et les ex-Mercati Generali (marchés d'alimentation en gros) devraient subir un changement de look pour devenir un espace de culture et de shopping.

Traversant le secteur du nord-au sud, la Via Ostiense embouteillée présente un mélange hétéroclite de pâtisseries à l'ancienne, de *trattorie* miteuses, de bars branchés où l'on croise des Cubains en goguette. C'est également dans cette rue que se tient la Centrale Montemartini dont les sculptures s'inscrivent au milieu des machines.

Au sud, les fidèles viennent recevoir la bénédiction de saint Paul dans l'imposante basilique Saint-Paul-hors-les-Murs. Plus loin dans la même direction s'étend le site orwellien de l'EUR (Esposizione Universale Roma), construit par Mussolini pour l'Exposition universelle de 1942 qui n'eut jamais lieu. Là, les monuments de style fasciste et les salles de musée immenses remplies de collections italiennes décalées méritent le détour.

OSTIENSE, SAN PAOLO ET EUR

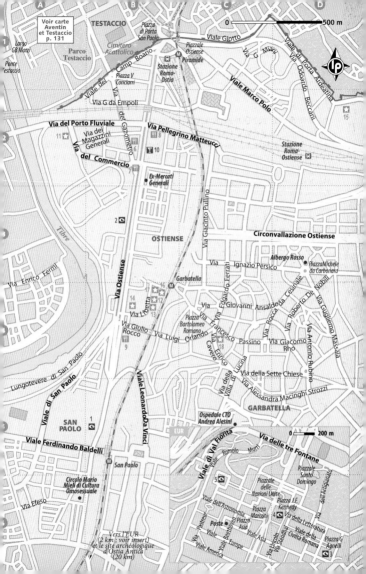

◉ VOIR

◉ BASILICA DI SAN PAOLO FUORI-LE-MURA

☎ 06 541 03 41 ; Via Ostiense 186 ;
⏱ 7h-18h30 en été, jusqu'à 18h en hiver, cloître 9h-13h et 15h-18h ; Ⓜ San Paolo

Édifiée au IVe siècle sur le site du tombeau de saint Paul et rebâtie en 1823 après un incendie, la basilique Saint-Paul-hors-les-Murs est la troisième plus grande église du monde. Les mosaïques (Ve siècle) de l'arc triomphal scintillent, le ciborium en marbre gothique est d'Arnolfo di Cambio et le superbe cloître cosmatesque compte des colonnes torses décorées d'incrustations polychromes. Dans la nef figurent les portraits en mosaïque de tous les papes de l'histoire depuis saint Pierre. D'après la légende, la fin du monde adviendra quand toutes les niches seront occupées. Il en reste sept…

◉ CENTRALE MONTEMARTINI

☎ 06 574 80 42 ; Via Ostiense 106 ;
adulte/étudiant/enfant 6,50/4,50 €/ gratuit, avec l'exposition 8/6 €/gratuit, avec les musées du Capitole 8,50/6,50 €/gratuit ;
⏱ 9h-19h mar-dim ; ⊟ Via Ostiense

Quand l'Antiquité rencontre *Métropolis*, le film de Fritz Lang, cela donne cette étonnante annexe des musées du Capitole (p. 42), une ancienne centrale électrique où des statues en marbre de divinités romaines côtoient de grosses turbines et chaudières.

GARBATELLA

Ceux qui aiment flâner ne manqueront pas de se promener dans **Garbatella** (carte p. 139, C4 ; www.rionegarbatella.it ; Ⓜ Garbatella), un quartier original et décontracté juste à l'est d'Ostiense. Figurant dans la scène d'ouverture de *Journal intime*, le film de Nanni Moretti, il s'agit d'un lieu séduisant, composé de cours communes, de bâtiments hétéroclites et de graffitis multicolores.

Son cœur historique fut aménagé dans les années 1920-1930 comme poumon vert destiné à la classe laborieuse. Plusieurs architectes créèrent un paysage urbain diversifié avec, çà et là, quelques monuments Renaissance et baroques.

Innocenzo Sabbatini, l'un des plus connus, conçut le **Teatro Palladium** (p. 145), délicieusement Art déco, et l'énorme **Albergo Rosso** (carte p. 139, D3), en forme de navire, sur la Piazza Michele da Carbonara. On doit à ce disciple de l'"école romaine" d'architecture expressionniste certains des bâtiments romains les plus singuliers de l'entre-deux-guerres.

Rien d'étonnant, donc, que l'association de la verdure reposante et des curiosités architecturales ait fait de Garbatella un coin très en vogue, mais toujours agréable. On y accède facilement : de la station de métro Garbatella, tournez à droite dans la Via G Pullino, puis à gauche 300 m plus loin dans la Via G Ansaldo.

Sculptures antiques dans la Centrale Montemartini

La Sala Caldaia expose les pièces maîtresses, parmi lesquelles la juvénile *Fanciulla Seduta* et la *Venus Esquilina* (Ier siècle), d'un blanc laiteux, mise au jour en 1874 sur la colline de l'Esquilin.

● MUSEO DELLA CIVILTÀ ROMANA

☎ 06 592 60 41 ; Piazza G Agnelli 10 ; adulte/18-24 ans de l'UE/ moins de 18 ans et plus de 65 ans de l'UE 6,50/4,50 €/gratuit, avec le Museo Astronomico et le Planétarium 8,50/6,50 €/gratuit ; ⏱ 9h-14h mar-sam, 9h-13h30 dim ; Ⓜ EUR Fermi ; ♿

L'hommage mussolinien à l'Empire romain plaira aux enfants, avec sa reconstitution géante de la Rome du IVe siècle, ses maquettes de monuments antiques et de machines de guerre, sa coupe du Colisée et son moulage des bas-reliefs de la colonne Trajane. Prévoyez du temps car le musée est immense.

● MUSEO DELLE ARTI E TRADIZIONI POPOLARI

☎ 06 592 61 48 ; www.popolari.arti. beniculturali.it en italien ; Piazza Marconi 8 ; adulte/ 18-24 ans de l'UE/ moins de 18 ans et plus de 65 ans de l'UE 4/2 €/gratuit ; ⏱ 9h-18h mar-ven, 9h-20h sam-dim, fermé lun ; Ⓜ EUR Fermi

Ce musée des arts et traditions populaires est plus intéressant qu'il n'y paraît. Il présente des salles entières de costumes folkloriques, de marionnettes siciliennes, de

Le Palazzo della Civiltà del Lavoro, dit le "Colisée carré"

crèches napolitaines et d'objets votifs catholiques.

PALAZZO DELLA CIVILTÀ DEL LAVORO
Quadratto della Concordia ; M EUR Magliana

Surnommé le "Colisée carré" en raison de ses rangées de fenêtres en arc de cercle sur plusieurs niveaux, le "palais de la Civilisation du travail" constitue le bâtiment emblématique de l'EUR. Cet immeuble de bureaux en travertin d'un blanc étincelant, conçu par Giovanni Guerrini, Ernesto Bruno La Padula et Mario Romano, fut inauguré en 1940. Il comporte six rangées de neuf fenêtres en arc de cercle, ses chiffres renvoyant aux nombres de lettres du nom Benito Mussolini.

SE RESTAURER

ANDREOTTI *Pâtisserie* €
☎ 06 575 07 73 ; Via Ostiense 54 ; ⏱ 7h30-21h30 ; 🚌 Via Ostiense

Habitant d'Ostiense, le cinéaste Ferzan Ozpetek aime les pâtisseries de cette adresse au point de les faire figurer dans ses films. Elles sont toutes des vedettes : *biscotti* (biscuits) aux amandes, *crostate* (tartes) et *sfogliatelle romane* fourrées à la ricotta, sans oublier quelques charmantes figurantes comme les *frittini* ou les *bruschettine* (mini-*bruschette*).

DOPPIOZEROO
Boulangerie, bar €
☎ 06 573 01 961 ; www.doppiozeroo.it ; Via Ostiense 68 ; ⏱ 7h-2h ; 🚌 Via Ostiense

Le décor urbain épuré et les longues heures d'ouverture attirent ici les Romains tendance qui viennent en masse commander du café et des pâtisseries le matin, boire du *prosecco* (vin blanc pétillant), manger une pizza (les amateurs de sucreries ne manqueront pas la *pizza bianca* au Nutella), prendre le thé l'après-midi ou draguer à l'heure de l'*aperitivo*. Fermé une semaine en août.

ESTROBAR *Bar-restaurant* €€
☎ 06 572 89 141 ; www.estrobar.com en italien ; Via Pellegrino Matteucci 20 ; ⏱ 20h-0h30 lun-sam ; 🚌 Via Ostiense

Les fous de design se retrouvent

VAUT LE DÉTOUR

Les **Scavi Archeologici di Ostia Antica** (ruines d'Ostia Antica ; hors carte p. 139, B6 ; ☎ 06 563 58 099 ; www.itnw.roma.it/ostia/scavi en italien ; Viale dei Romagnoli 717 ; adultes/tarif réduit 6,50/3,25 € ; ☟ 8h30-18h mar-dim avr-oct, jusqu'à 16h nov-fév, jusqu'à 17h mars, dernière entrée 60-90 min avant la fermeture ; Ⓜ Piramide, puis train de banlieue jusqu'à Ostia Lido ; ☟), à 25 km au sud-ouest de la ville, donne un bon aperçu du port antique de Rome jadis florissant. La visite des ruines, ensemble de tavernes, boutiques, teintureries et habitations, prend aisément plusieurs heures. Les bureaux des corporations de marchands du Piazzale delle Corporazioni, ornés de mosaïques, le thermopolium (équivalent romain de "fast-food"), d'allure étrangement moderne, et les Terme di Foro, dont subsistent les latrines, retiennent particulièrement l'attention. Procurez-vous un plan (2 €) à la billetterie ou louez les services d'un des guides polyglottes qui travaillent sur le site (d'ordinaire 5 €/pers pour une 1 heure de visite). L'été, le théâtre romain accueille Cosmophonies (www.cosmophonies.com), une série de concerts axés sur la world music et l'opéra.

dans ce restaurant/bar/galerie pour déconstruire les œuvres de Claudio di Carlo devant une bouteille de Brut ou un *cocktail benessere* à base de fruits ou de légumes. La cuisine italienne fusion du chef Francesco Bonanni propose des plats tels que le carpaccio de bœuf au saké et soja ou la tarte au chocolat épicée, assortis d'une carte de quelque 200 vins.

🍴 HOSTARIA ZAMPAGNA
Trattoria €

☎ 06 574 23 06 ; Via Ostiense 179 ; ☟ 12h-14h30 lun-sam ; 🚌 Via Ostiense
Épargnée par le phénomène de mode qui touche la Via Ostiense, cette modeste institution octogénaire prépare toujours une nourriture simple et copieuse, fidèle au calendrier de la semaine culinaire romaine. La nostalgie vous prend devant les *spaghetti alla carbonara*

(œuf, fromage et pancetta), *alla grigia* (*pecorino*, pancetta et poivre noir) ou *all'amatriciana* (tomate, pancetta et piment), sans oublier les grands classiques que sont les tripes, le bœuf et les *involtini* (sortes de paupiettes).

🍸 PRENDRE UN VERRE

🍸 CAFFÈ LETTERARIO
Bar, centre culturel

☎ 338 802 73 17 ; www.caffeletterario roma.it en italien ; Via Ostiense 83 ; ☟ 10h-2h lun-ven, 15h-2h sam-dim ; 🚌 Via Ostiense
La culture a remplacé les voitures dans le sous-sol de cet ancien garage devenu un bar design. Doté d'une librairie, d'une galerie d'art, d'une salle de spectacle et de coins lounge cosy, l'endroit se révèle

SAVOIR-VIVRE À LA ROMAINE

> Mangez vos pâtes avec une fourchette (pas une cuillère !) et gardez les mains sur la table.
> Apportez une bouteille de vin ou des fleurs si vous êtes invité à dîner chez quelqu'un, sous peine de faire *brutta figura* (mauvaise impression).
> Couvrez-vous les épaules et les jambes pour entrer dans une église.

idéal pour se mêler à une certaine faune bobo en sirotant une bière. N'accepte pas les cartes de crédit.

⭐ SORTIR

À l'instar du Testaccio au nord, Ostiense fait partie des quartiers festifs, grâce à ses vastes entrepôts désaffectés et au campus universitaire non loin. La Via Libetta et la Via degli Argonauti forment l'épicentre du clubbing, où les meilleurs DJ mondiaux mixent aussi bien de la new wave que de la bonne vieille techno.

⭐ ALPHEUS
Lieu de concert, discothèque
☎ 06 574 78 26 ; www.alpheus.it en italien ; Via del Commercio 36 ; 7-20 € ; 🕐 22h-4h ven-sam, fermé juillet-août ; 🚍 Via Ostiense
Récemment relookée, cette imposante discothèque de

quatre salles accueille un public mélangé. Sa programmation musicale éclectique va du tango au rock en passant par la soul, le hip-hop, la house et les remix rétro. "Gorgeous I Am", la soirée gay toujours courue du samedi, met la techno et les tubes dansants à l'honneur. Horaires variables en semaine.

⭐ CLASSICO VILLAGE
Lieu de concert, discothèque
☎ 06 572 88 857 ; www.classico.it en italien ; Via Libetta 3 ; 5-15 € ; 🕐 21h-1h30 lun-jeu, 23h-4h ven-sam ; Ⓜ Garbatella
Une usine reconvertie dans un style brut où l'on passe, entre autres, du jazz live, du rock dur et des DJ qui déménagent. Composée de trois espaces séparés, elle comporte une cour postindustrielle pour se détendre dans un cadre urbain.

⭐ DISTILLERIE CLANDESTINE
Discothèque
☎ 06 573 05 102 ; Via Libetta 13 ; tarif variable ; 🕐 23h-5h jeu-dim ; Ⓜ Garbatella
Un vrai repaire de branchés. Outre le club où vibrent les basses, il y a aussi un bar swing avec des sortes de sabres suspendus au-dessus du comptoir, une salle R&B sombre éclairée au néon qui diffuse de la house et de la dance, ainsi qu'un fumoir.

GOA *Discothèque*
☎ 06 574 82 77 ; Via Libetta 13 ;
10-25 € ; 🕒 24h-4h, fermé mai-sept ;
Ⓜ Garbatella

Parmi les clubs les plus en vue de la capitale, le Goa reçoit la crème des DJ italiens et internationaux (Massi DL de Naples, DJ Magda de Berlin et DJ Riccardo Villalobos, un habitué du Fabric de Londres) qui font bouger la clientèle mode et cultivée sur des rythmes techno/électro endiablés. Soirée "Venus Rising" exclusivement réservée aux femmes le dernier dimanche du mois.

LA CASA DEL JAZZ
Discothèque
☎ 06 70 47 31 ; www.casajazz.it ; Viale di Porta Ardeatina 55 ; gratuit-15 € ;
🕒 19h30-24h mar-sam, 12h- 24h dim ;
🚌 Via Cristoforo Colombo

La magnifique villa d'un mafieux des années 1930 abrite désormais la "maison du jazz" constituée d'un auditorium de 150 places, de salles de répétition, d'un jardin, d'un café, d'un restaurant et d'une librairie (ouverte jusqu'à 19h les soirs de concert). Programmation variée, des quartets new-yorkais à l'exceptionnel chanteur et musicien italien John De Leo.

LA SAPONERIA *Discothèque*
☎ 393 966 13 21 ; Via degli Argonauti 20 ; 5-15 € ; 🕒 23h30-5h jeu-sam, fermé mai-sept ; Ⓜ Garbatella

La princesse de la techno DJ Karmina et le maître brésilien de la house Gui Boratto figurent parmi les invités de cette ancienne savonnerie. Au programme : nu-house, nu-funk, minimal techno et dance. Hip-hop et R&B le samedi. Soirées fétichistes du Ritual Club (www.ritualtheclub.com).

RASHOMON
Lieu de concert, discothèque
☎ 347 340 57 10 ; www.myspace.com/rashomonclub ; Via degli Argonauti 16 ; gratuit-10 € ; 🕒 23h-4h jeu-sam, fermé juil-août ; Ⓜ Garbatella

Ici pas d'Euro disco trash, seulement de l'indie, de la new wave et de l'électro en live ou mixées par des DJ. L'Allemand Marek Hemmann, le Danois Jonas Koop et le Hollandais Legowelt ont figuré parmi les hôtes.

TEATRO PALLADIUM
Centre culturel
☎ 06 570 67 768 ; www.teatro-palladium.it en italien ; Piazza Bartolomeo Romano 8 ; Ⓜ Garbatella

Dans la banlieue branchée de Garbatella (voir l'encadré p. 140), ce théâtre curviligne des années 1920 propose des pièces de théâtre, de concerts et des séminaires pointus. Les classiques revisités y côtoient l'avant-garde radicale. Il accueille aussi le festival RomaEuropa (p. 29). Consultez le site web pour connaître les concerts à venir.

>TRASTEVERE ET JANICULE

Ruelles pavées, façades écaillées et bonhomie générale, le Trastevere séduit par son pittoresque. Si vous aimez les bars animés, la drague ou les virées nocturnes dans les librairies, le quartier est pour vous. Buvez des bières avec des punks au Bar Sand Callisto, arpentez le marché aux puces de Porta Portes ou déjeunez dans une petite trattoria pour profiter de l'atmosphère.

La culture n'est pas pour autant négligée sur la "Rive gauche" de Rome : l'ancien palais de la reine Christine regorge de trésors artistiques, la Villa Farnesina arbore des fresques de Raphaël et le Nuovo Sacher fait partie des meilleurs cinémas d'art et d'essai de la ville.

Coupée en deux par le Viale di Trastevere et organisée autour de la Piazza Santa Maria di Trastevere, cette ancienne zone de vignobles, de fermes et de villas, devint une enclave populaire à l'époque médiévale, avant de se transformer en mine d'or immobilière.

Au-dessus du Trastevere s'élève la colline du Janicule (Gianicolo), dont les artères verdoyantes offrent des perspectives spectaculaires sur la ville.

TRASTEVERE ET JANICULE

Voir carte ci-après

◉ VOIR

◉ BASILICA DI SANTA CECILIA IN TRASTEVERE

☎ 06 589 92 89 ; Piazza di Santa Cecilia ; église/fresques de Cavallini/2,50 € ; ⏰ église 9h30-12h30 et 16h-19h tlj, fresques 10h15-12h15 lun-sam, 11h-12h30 dim ; 🚌 🚊 Viale di Trastevere

L'église s'élève à l'endroit où sainte Cécile connut le martyre en 230. Elle aurait chanté continuellement durant son agonie, ce qui lui valut de devenir la patronne des musiciens. Sous l'autel, une ravissante sculpture de Stefano Maderno représente le corps intact de la sainte tel qu'il apparut à l'ouverture de son tombeau dans les Catacombe di San Callisto (p. 126) treize siècles après sa mort. Le sous-sol recèle des **ruines de maisons romaines** (2,50 € ;

⏰ 9h30-12h et 16h-18h30) et le chœur des nonnes abrite des fragments du *Jugement dernier* de Pietro Cavallini (XIIIe siècle) à ne pas manquer.

◉ BASILICA DI SANTA MARIA IN TRASTEVERE

☎ 06 581 02 ; Piazza Santa Maria in Trastevere ; ⏰ 7h30-12h30 et 15h30-19h30 ; 🚌 🚊 Viale di Trastevere

Cette basilique romane présente des mosaïques du XIIe siècle dans son abside et sur son arc de triomphe, ainsi que six mosaïques du XIIIe siècle de Pietro Cavallini. Le plafond en bois (XVIIe siècle) est du Dominiquin, et certaines des colonnes proviennent des thermes de Caracalla (p. 133). Un candélabre pascal indique l'emplacement de la source d'huile miraculeuse qui aurait jailli en 38 av. J.-C.

Mosaïques et statues ornent la façade de la basilique Santa Maria in Trastevere

Voir carte
Aventin et
Testaccio
p. 131

Via di San Alessio
Via di Santa Sabina
Via Santa Maria in Cosmedin
Lgt Ripa
Porta di Ripa Grande
Piazza di Santa Cecilia
Piazza de'Mercanti
Via del San Michele
Lgt Aventino
Ponte Sublicio
Via Anic
Via della Luce
Piazza di San Francesco d'Assisi
Largo Ascianghi
Via Accianghi
Via Morosini
Via M Carcani
Via M Carcani
Clivo Portuense
Lgt Portuense
Piazza Bernardino da Feltre
Via Dandolo
Via B Mussolini
Via A Baigoni
Via degli Orti di Trastevere
Viale di Trastevere
ameli
Via F Casini
Via N Pardoni
Largo F Anzioni
Via I Nievo
Via F Benaglia
Via Portuense
cchi
Via Calandrelli
Villa Sciarra
Via Nicola Fabrizi
Viale Aplia
Via P Roselli
Via Mercantina
Via Giacinto Carini
Via G Rossetti
Via M Quadrio
Via Felice Cavallotti
Via E Torre
Via G B Nicolini
Via F Bandiera
Via Alessandro Poerio
Via Francesco dell'Ongaro
Via Francesco D Guerazzi
Via Pisacane
Via Anton Giulio Barrili

Via Marmorata
Via Melania
Via A Pollione
Viale M Gelsomini
Largo M Gelsomini
TESTACCIO
Via Ginori
Via Bianca
Via A Vespucci
Via Florio
Via Ghiberti
Via Nicola Zabaglia
Via Volta
Via Galvani
Parco
Testaccio
Piazza Orazio Giustiniani
Via Beniamino Franklin
Via Torricelli
Largo G B Marzi

Versa la Stazione Trastevere (300 m),
le Teatro India (800 m) et
la Città del Gusto (1,5 km)

400 m

0

3
27
42
43
16

CHIESA DI SAN FRANCESCO D'ASSISI A RIPA

☎ 06 581 90 20 ; Piazza San Francesco d'Assisi 88 ; 🕙 7h-13h et 16h-19h30 lun-sam, 7h-12h et 16h-19h dim ; 🚌 🚋 Viale di Trastevere

Si vous trouvez que l'*Extase de sainte Thérèse* dans la Chiesa di Santa Maria della Vittoria (p. 86) est un peu osée, que dire de la *Bienheureuse Ludovica Albertoni* (1674), également sculptée par le Bernin ? Exposée dans la quatrième chapelle à gauche, cette dernière dégage une sensualité torride. L'église se dresse sur le site d'un hospice où saint François d'Assise résida en 1219.

CHIESA DI SAN PIETRO IN MONTORIO ET TEMPIETTO DI BRAMANTE

☎ 06 581 39 40 ; Piazza San Pietro in Montorio 2 ; 🕙 église 8h-12h et 16h-16h tlj, tempietto 9h30-12h30 et 16h-18h mar-dim avr-sept, 9h30-12h30 et 14h-16h mar-dim oct-mars ; 🚌 Lungotevere della Farnesina

Surprise architecturale, le Tempietto (petit temple) de Bramante aux proportions parfaites donne dans la cour de la Chiesa di San Pietro in Montorio, lieu supposé de la crucifixion de saint Pierre. Considéré comme le premier monument majeur du Cinquecento, il fut achevé en 1508. Le Bernin le dota d'un escalier en 1628 et travailla aussi dans la seconde chapelle.

EDICOLA NOTTE

Il suffit d'un moment d'inattention pour la manquer. L'**Edicola Notte** (www.edicolanotte.com en italien ; Vicolo del Cinque 23 ; 🕙 20h-3h), qui mesure 1 m de large sur 7 m de long, est en effet la plus petite galerie d'art de Rome. Créée par l'artiste sino-malais HH Lim, elle s'éclaire chaque nuit pour satisfaire la curiosité des passants qui peuvent regarder à l'intérieur depuis la rue. Des poids lourds comme Jannis Kounellis, Yan Pei Ming et Yang Jiechang y ont déjà exposé leurs œuvres.

FONDAZIONE VOLUME!

☎ 06 689 24 31 ; Via San Francesco di Sales 86-8 ; entrée libre ; 🕙 17h-20h mar-sam ; 🚌 Lungotevere della Farnesina ; ♿

Rendez-vous dans cette ancienne verrerie pour admirer des installations expérimentales uniques d'artistes italiens et étrangers de premier plan. Jannis Kounellis, Sol Lewitt, Bernhard Rudiger et Marina Paris ont récemment métamorphosé chacun à leur tour ce petit espace.

GALLERIA LORCAN O'NEILL

☎ 06 688 92 980 ; www.lorcanoneill. com ; Via degli Orti d'Alibert 1E ; entrée libre ; 🕙 12h-20h lun-ven, 14h-20h sam ; 🚌 Lungotevere Gianicolense

Lancée par un marchand d'art londonien, cette galerie d'art installée dans une ancienne écurie est l'une des plus respectées de Rome. C'est aussi l'une des premières à avoir exposé des artistes internationaux du calibre de Tracey Emin, Max Rental et Matvey Levenstein, ainsi que des talents locaux comme Luigi Ontani et Pietro Ruffo (voir p. 114).

⚙ GALLERIA NAZIONALE D'ARTE ANTICA DI PALAZZO CORSINI

☎ 06 688 02 323 ; www.galleriaborghese.it ; Via della Lungara 10 ; adultes/18-25 ans de l'UE/ moins de 18 ans et plus de 65 ans de l'UE 4/2 €/gratuit ; 🕐 8h30-19h30 mar-dim ; 🚌 Lungotevere della Farnesina

Ancienne résidence de la reine Christine de Suède, dont la chambre à coucher ornée de riches fresques vit défiler un flot constant d'amants et de maîtresses, le Palazzo Corsini (XVIe siècle) abrite une partie de la collection d'art nationale (le reste est conservé au Palazzo Barberini ; p. 87). Ne manquez pas la *Madonna della Paglia* (Madone à la paille) de Van Dyck, le Saint-Sébastien de Rubens et le *San Giovanni Battista* (saint Jean-Baptiste) du Caravage ou encore les remarquables peintures de l'école de Bologne (salle 7).

⚙ GIANICOLO

Piazza Giuseppe Garibaldi ; 🚌 Via del Gianicolo ; ♿

Sur le Janicule, l'armée de fortune de Giuseppe Garibaldi combattit les troupes françaises rangées du côté de la papauté à l'occasion de l'une des plus féroces batailles pour l'unification de l'Italie. Un coup de canon y est tiré chaque jour à midi, mais la plus haute colline de Rome vaut surtout pour ses perspectives somptueuses, ses promenades à dos de poney et ses spectacles de marionnettes napolitaines le week-end.

⚙ ORTO BOTANICO

☎ 06 499 17 107 ; Largo Cristina di Svezia 24 ; adulte/6-11 ans et plus de 60 ans 4/2 € ; 🕐 9h-17h30 lun-sam début oct-mars, jusqu'à 18h30 avr-juil et sept–mi-oct ; 🚌 Lungotevere della Farnesina

Créé en 1883, le jardin botanique est un véritable antidote à l'agitation urbaine. Au milieu des canards qui s'ébattent, visitez le Giardino dei Semplici (jardin des Simples) réunissant plus de 300 espèces de plantes médicinales, humez les parfums du Giardino degli Aromi (jardin des Arômes) commenté en braille ou extasiez-vous simplement devant les vues de rêve sur la ville.

⚙ VILLA FARNESINA

☎ 06 680 27 268 ; Via della Lungara 230 ; adulte/14-18 ans/moins de 14 ans et plus de 65 ans 5/4 €/gratuit ; 🕐 9h-13h lun-sam ; 🚌 Lungotevere della Farnesina

Cette fastueuse villa du XVIe siècle fut conçue par l'architecte siennois

TRASTEVERE ET JANICULE

CIRCUIT À TRAVERS LA VILLE

Montez dans le bus n°3 pour un plaisant circuit à travers la ville et descendez où vous voulez. De la Stazione Trastevere, un trajet rapide conduit au marché aux puces dominical de la Porta Portese (p. 153). Après le marchandage de rigueur, dirigez-vous vers l'est de l'autre côté du Tibre pour faire des emplettes en consommateur responsable à la Città dell'Altra Economia (p. 134), dans le quartier du Testaccio, puis allez admirer les tombes de Keats et de Shelley au Cimitero Acattolico per gli Stranieri (p. 132). De retour à bord, vous découvrirez les monuments-phares de la Rome antique que sont le Circo Massimo (p. 43) et le Colisée (p. 44), avant une halte pour visiter l'imposante basilique Saint-Jean-de-Latran (p. 118). Plus loin, vous pourrez vous restaurer chez Rouge (p. 111) dans un cadre branché et parcourir à pied le Quartiere Coppedè (p. 180). Enfin, poursuivez en bus jusqu'au terminus où vous attendent la Galleria Nazionale d'Arte Moderna (p. 175) et l'atmosphère reposante de la Villa Borghese (p. 180).

Baldassare Peruzzi qui, avec Sebastiano del Piombo et surtout Raphaël, la recouvrit de fresques. Ce dernier peignit entièrement de sa main le *Triomphe de Galatée,* mais confia à ses assistants l'exécution du célèbre *Amour et Psyché.*

🛍 SHOPPING

🏷 ANTICA CACIARA TRASTEVERINA
Alimentation, vins
☎ 06 581 28 15 ; Via San Francesco a Ripa 140 ; ⏱ 7h30-13h30 et 16h-20h lun et mer-sam, 7h30-13h30 mar ; 🚌 🚊 Viale di Trastevere
La ricotta fraîche est la grande spécialité de cette épicerie fine centenaire et il n'en reste généralemet plus dès midi. Si vous arrivez trop ntard, vous pourrez toujours vous rabattre sur la *burrata pugliese* (fromage crémeux des

Pouilles) ou saliver devant les jambons, pains, *baccalà* (morue), fromages, poivrons, anchois siciliens et vins locaux.

📖 BIBLI *Livres*
☎ 06 588 40 97 ; www.bibli.it en italien ; Via dei Fienaroli 28 ; ⏱ 17h30-24h lun, 11h-24h mar-dim ; 🚌 🚊 Viale di Trastevere
L'intelligentsia romaine vient ici garnir sa bibliothèque, assister aux conférences et lancements ou discuter littérature au café. Quelques livres en anglais. *Aperitivo* de 19h30 à 23h et brunch le week-end de 12h30 à 15h.

👞 JOSEPH DEBACH *Chaussures*
☎ 348 781 93 58 ; www.josephdebach. com en italien ; Vicolo del Cinque 19 ; ⏱ 17h-23h sam-jeu en hiver, 16h-24h sam-jeu en été ; 🚌 Piazza Trilussa

Le chausseur Joseph Debach crée des chaussures avec des dents, couvertes de BD ou à semelles compensées bizarroïdes. Ces modèles excentriques sont plus des œuvres d'art que des articles vraiment portables.

☐ LA CRAVATTA SU MISURA *Accessoires*

☎ 06 581 66 76 ; www.lacravattasu misura.it en italien ; Via Santa Cecilia 12 ; 🚌 🚊 Viale di Trastevere

Une petite boutique chic qui confectionne de superbes cravates sur mesure dans de fines soies italiennes ou des lainages anglais. En insistant, votre demande peut être satisfaite en quelques heures.

☐ PORTA PORTESE *Marché*

🕐 7h-13h dim ; 🚌 🚊 Viale di Trastevere

Les Romains disent en plaisantant qu'un objet volé durant la semaine peut être racheté le dimanche à la Porta Portese, le plus grand marché aux puces de la ville qui regroupe des milliers de stands. On y vend de tout, des jeans, chaussures et sacs bon marché aux CD de pop roumaine, en passant par les ponchos péruviens et les vieux éviers de cuisine. Marchandez ferme et prenez garde aux pickpockets.

☐ ROMA-STORE *Parfums*

☎ 06 581 87 89 ; Via della Lungaretta 63 ; 🕐 10h-20h ; 🚌 🚊 Viale di Trastevere

En quête de bonnes affaires au marché aux puces de la Porta Portese

L'absence d'enseigne est souvent bon signe. Cette ravissante boutique remplie de flacons de parfum et de lotions aux fragrances envoûtantes ne fait pas exception. Soyez dans le coup avec des marques pour initiés comme Serge Lutens, Marinella, E Coudray et État Libre ou anglais rétro avec Floris London.

⬚ SCALA QUATTORDICI *Mode*
☎ 06 588 35 80 ; Via della Scala 13-14 ; 🕑 16h-20h lun, 10h-13h30 et 16h-20h mar-sam ; 🚌 🚊 Viale di Trastevere
Faites-vous le look d'Audrey Hepburn dans cette boutique classique du Trastevere. Atmosphère sélect, rouleaux de tissus somptueux et beaux vêtements de confection ou sur-mesure cousus main.

⬚ TEMPORARY LOVE
Mode, accessoires
☎ 06 583 34 772 ; www.temporarylove. net ; Via di San Calisto 9 ; 🕑 11h-20h mar-dim ; 🚌 🚊 Viale di Trastevere
La nouvelle adresse la plus sympa du quartier est un magasin de mode doublé d'une galerie, qui crée avec des artistes une collection limitée de vêtements et sacs pour hommes et femmes tels que Tee-shirts fantaisie et fourre-tout peints à la main. Chaque année sont présentées cinq collections/ expositions et le Français Serge Uberti et le Romain Sten (voir p. 191) y ont collaboré.

🍴 SE RESTAURER
L'un des meilleurs quartiers pour apprécier la gastronomie locale (plus quelques options exotiques), le Trastevere regorge de trattorias et de restaurants à l'élégance rétro. C'est aussi le siège de Glass Hostaria, une table brillante d'un nouveau genre. En règle général, mieux vaut éviter les "menus touristiques" et suivre les conseils d'un habitant.

🍴 ALBERTO CIARLA
Fruits de mer   €€€
☎ 06 581 86 68 ; www.albertociarla. com ; Piazza San Cosimato 40 ; 🕑 20h30-24h lun-sam ; 🚌 🚊 Viale di Trastevere
Les gourmets exigeants viennent manger dans ce restaurant d'un style très seventies le *nec plus ultra* des produits de la mer. Trois menus dégustation : *grande cucina* (homard, huîtres et autres mets délicats), *cucina tirrenica* (salade de crevettes méditerranéenne et pâtes aux fruits de mer) et *crudo* (poissons crus et mollusques).

🍴 ALLE FRATTE DI TRASTEVERE *Trattoria*   €€
☎ 06 583 57 75 ; Via delle Fratte di Trastevere 49-50 ; 🕑 12h30-15h et 18h30-23h30 lun, mar, jeu-sam, 18h30-23h30 dim, fermé 2 semaines en août ; 🚌 🚊 Viale di Trastevere
Cette trattoria réputée cumule trois points forts : un accueil chaleureux,

TRASTEVERE ET JANICULE

LA CITÉ DU GOÛT

Les gourmets se feront un devoir de découvrir la **Città del Gusto** (Cité du Goût ; ☎ 06 551 12 21 ; www.gamberorosso.it ; Via Enrico Fermi 161 ; 🚇 Viale Guglielmo Marconi), un temple du bien-manger de six étages dirigé par Gambero Rosso, première association gastronomique italienne. Vous pourrez acheter des livres de cuisine à la **librairie** (🕑 9h-16h lun, 9h-23h30 mar-ven, 19h30-23h30 sam), observer les chefs à l'œuvre dans le "théâtre culinaire", suivre des cours de cuisine ou déguster des vins. Il y a aussi un **bar à vins** (☎ 06 551 12 264 ; 🕑 19h30-24h mar-sam) et un délicieux restaurant, l'**Osteria del Gambero Rosso** (☎ 06 551 12 277 ; 🕑 9h-16h lun, 9h-23h30 mar-ven, 19h30-23h30 sam).

une nourriture savoureuse et des prix qui ne grèvent pas le budget. Les serveurs avenants apportent sur les tables de généreuses portions de *cucina romana* (cuisine romaine), le vin se laisse boire, le café est excellent et l'ambiance d'une convivialité contagieuse.

🍴 DA AUGUSTO *Trattoria*   €
☎ 06 580 37 98 ; Piazza de' Renzi 15 ; 🕑 12h30-15h et 20h-23h, fermé août ; 🚌 🚋 **Viale di Trastevere**
Installez-vous autour de l'une des tables bancales pour vivre une expérience typiquement romaine : les serveuses bourrues manient les plats du jour avec nonchalance, tandis que des ménagères encore plus bourrues s'époumonent d'un bout à l'autre de la place. La cuisine délicieuse et bon marché comprend notamment des *rigatoni all'amatriciana* (pâte à la tomate, pancetta et piment) et de la *stracciatella* (bouillon clair à l'œuf et au parmesan) servis avec du pain *casareccio* (maison) croustillant.

🍴 DA LUCIA *Trattoria*   €
☎ 06 580 36 01 ; Vicolo del Mattonato 2 ; 🕑 12h30-15h et 19h30-23h mar-dim ; 🚌 🚋 **Viale di Trastevere**
Une fantastique trattoria, très fréquentée par les Romains et les touristes, dans une ruelle pavée typique du Trastevere, où l'on mange sous le linge qui sèche. L'endroit sert une ribambelle de spécialités romaines, dont la *trippa all romana* (tripes à la sauce tomate) et le *pollo con peperoni* (poulet aux poivrons), ainsi que de copieux antipasti.

🍴 DAR POETA *Pizzeria*   €
☎ 06 588 05 16 ; Vicolo del Bologna 46 ; 🕑 19h30-24h ; 🚌 **Piazza Trilussa**
Il faut faire la queue pour s'attabler dans cette pizzeria appréciée des critiques et sise en bas d'une jolie petite rue. Sa pâte légère et ses garnitures créatives (pomme et grand marnier, par exemple) font tout son succès. Calzone à la ricotta et au Nutella à damner un saint,

délicieuse *bruschetta* et salades saines pour ceux qui surveillent leur ligne.

FORNO LA RENELLA
Pizza à la part €
☎ 06 581 72 65 ; Via del Moro 15-16 ; ⏱ 9h-1h ; 🚌 Piazza Trilussa
Les fours à bois de cette boulangerie historique du Trastevere produisent chaque jour depuis des décennies leur lot de pizzas, de pains et de biscuits alléchants. Les garnitures des pizzas changent selon la saison, attirant aussi bien le skinhead que le retraité.

GLASS HOSTARIA
Restaurant, bar à vins €€
☎ 06 583 35 903 ; Vicolo del Cinque 58 ; ⏱ 20h-23h30 mar-dim ; 🚌 Piazza Trilussa
Si nous aimons le décor épuré d'Andrea Lupacchini, la véritable star reste la nouvelle cuisine italienne haut de gamme de Cristina Bowerman, succulente : pain au fenouil sauvage et aux raisins de Smyrne, coquilles Saint-Jacques aux pistaches avec une sauce à la pancetta et à la citronnelle, entre autres mets à la texture élaborée. Les menus dégustation de six plats sont parfaitement réussis et deux sommeliers affables aident les convives à choisir le meilleur vin pour les accompagner.

JAIPUR *Indien* €
☎ 06 580 39 92 ; www.ristorantejaipur.it en italien ; Via di San Francesco a Ripa 56 ; ⏱ 19h-24h lun, 12h-15h et 19h-24h mar-dim ; 🚌 🚋 Viale di Trastevere
Une adresse à retenir pour les amateurs de curry, à condition de ne pas se laisser rebuter par le cadre clinquant, car sa cuisine indienne fait partie des plus savoureuses de Rome. La carte met l'accent sur les plats du Nord, avec un large éventail de recettes tandoori et à base de poulet (*murgh*), ainsi que des options végétariennes.

LA FONTE DELLA SALUTE
Glacier €
☎ 06 589 74 71 ; Via Cardinale Marmaggi 2-6 ; ⏱ 10h-1h ; 🚌 🚋 Viale di Trastevere
Le nom de ce glacier (la "fontaine de la santé") est peut-être un brin usurpé, mais l'on peut néanmoins opter pour de délicieux *gelati* à base de soja et de yaourt ou des sorbets aux fruits.

LA GENSOLA *Restaurant* €€
☎ 06 581 63 12 ; Piazza della Gensola 15 ; ⏱ 13h-15h et 20h-24h, fermé dim mi-mai–mi-sept ; 🚌 🚋 Viale di Trastevere
Voir les Italiens se pâmer devant leur assiette est toujours un indice rassurant. C'est monnaie courante dans ce chouette restaurant sicilien

d'une élégante simplicité qui met les fruits de mer à l'honneur. Préparés délicatement mais sans chichis, ils apparaissent dans des plats comme les *linguine* aux anchois frais et au *pecorino* ou les *zuccherini* (petits poissons) à la menthe fraîche. Serveurs attentifs.

PANATTONI *Pizzeria* €
☎ 06 580 09 19 ; Viale di Trastevere 53 ; ⏰ 19h-2h jeu-mar ; 🚌 🚋 Viale di Trastevere

Avec ses plateaux en marbre, on pourrait le surnommer *l'obitorio* (la morgue). Il n'y a pourtant rien de morbide dans ce lieu très animé dont le cadre rétro date des années 1950. Les serveurs vifs et pro s'affairent sur fond de tram

et d'éclats de voix tandis que la clientèle du cru engloutit des pizzas fumantes et des *supplì* (boules de riz frites) dorées. Une somptueuse crème brûlée couronne le tout.

SISINI *Pizza à la part* €
Via di San Francesco a Rìpa 137 ; ⏰ 9h-22h lun-sam, fermé en août ; 🚌 🚋 Viale di Trastevere

Les Romains savent où aller pour déguster la meilleure *pizza al taglio* du Trastevere. Il faut donc jouer des coudes pour accéder au comptoir. Les variétés simples règnent en maître – goûtez la Margherita (tomates, basilic et mozzarella) ou celle aux *zucchine* (courgettes) et vous comprendrez. Les *supplì* et les croquettes arrivent juste après.

Repas en terrasse dans l'un des restaurants pittoresques du Trastevere

🍴 VALZANI *Pâtisserie* €
☎ 06 580 37 92 ; Via del Moro 37 ;
🕐 9h-20h mer-dim, 13h-20h lun-mar, fermé juil-août ; 🚌 🚊 **Piazza Sonnino**
À plus de 80 printemps, la Signora Valzani dirige toujours cette pâtisserie réputée pour sa Sachertorte (le cinéaste Nanni Moretti fait partie de ses inconditionnels), qui embaume l'air depuis 1925. Ne manquez pas les *mostaccioli* (biscuits au moût de raisin) recouverts de chocolat, le *torrone* (nougat) romain, le *pangiallo* (miel, noix et fruits secs) de Noël et les *cannoli siciliani* fourrés à la ricotta et à l'orange confite.

🍸 PRENDRE UN VERRE
À la nuit tombée, le Trastevere s'emplit de fêtards qui fréquentent ses bars, pubs et cafés bondés. Le gros de l'action se concentre du côté est du Viale di Trastevere, autour de la Piazza Santa Maria in Trastevere, de la Piazza Trilussa et des rues proches de la Piazza de'Renzi et de la Piazza Sant'Egidio.

🍸 B>GALLERY *Bar, galerie d'art*
☎ 06 583 34 365 ; www.b-gallery.it ; Piazza Santa Cecilia 16 ; 🕐 10h-20h dim-jeu, 10h-24h ven-sam ; 🚌 🚊 **Viale di Trastevere**
Les férus d'art contemporain et de design peuvent satisfaire leur curiosité culturelle en sirotant un campari dans cette librairie/bar minimaliste dont la galerie en sous-sol présente installations multimédias, mode, photos, etc…

🍸 BAR LE CINQUE *Bar*
Vicolo del Cinque 5 ; 🕐 6h-2h lun-Sam ; 🚌 🚊 **Piazza Sonnino**
Si l'endroit ne porte pas d'enseigne et ressemble à un bar ordinaire fatigué, il s'agit pourtant d'un repaire du Trastevere devant lequel se forme toujours un petit groupe attiré par le charme de l'emplacement, l'ambiance décontractée et les boissons bon marché.

🍸 BAR SAN CALISTO *Bar*
☎ 06 583 58 69 ; Piazza San Calisto 3-5 ; 🕐 6h-2h lun-sam ; 🚌 🚊 **Viale di Trastevere**
Rude, défraîchi mais jamais ennuyeux, ce bar figé dans le temps accueille une clientèle disparate d'étudiants, de punks, de dealers, de matrones grincheuses et de papys qui jouent aux cartes. Les bobos adorent ses défauts, sans parler de ses prix modiques et de son chocolat légendaire, chaud avec de la crème en hiver, sous forme de glace en été.

🍸 FERRARA *Bar à vins*
☎ 06 583 33 920 ; Via del Moro 1A ; 🕐 11h-2h ; 🚌 **Piazza Trilussa**
Si le restaurant (20h-23h30) s'avère d'une qualité irrégulière, le bar

à vin cosy à l'éclairage tamisé remporte tous les suffrages. Vous aurez peut-être besoin de l'aide des serveurs pour décrypter la carte en deux volumes (un pour les rouges, l'autre pour les blancs) qui compte plus de 1 000 appellations. À cela s'ajoute un assortiment de délicieux amuse-gueules à l'*aperitivo* (18h-2h).

☿ FRENI E FRIZIONI *Bar*

☎ 06 583 34 210 ; www.freniefrizioni. com en italien ; Via del Politeama 4-6 ; ☾ 10h-2h ; 🚇 Piazza Trilussa

Cet ancien garage (d'où son nom "freins et frictions") fait partie des bars les plus sympas de Rome, où le sol en ciment, le mobilier chic et les lustres composent un espace à la fois brut et design. L'*aperitivo* abondant est une véritable affaire (bière/cocktail 5/7 € ; 19h30-22h30). Réservez si vous voulez en profiter assis.

☿ GOOD CAFFÈ *Bar*

☎ 06 972 77 979 ; Via di Santa Dorotea 9 ; ☾ 7h30-2h lun-sam, 9h30-2h dim ; 🚇 Piazza Trilussa

Avec son décor en bois usé et ses recoins douillets, cet endroit toujours populaire a la faveur des étudiants américains de l'Université John Cabot voisine qui font bon usage du Wi-Fi gratuit. *Aperitivi* (18h30-21h30), DJ le week-end, cocktails (6 €, après 18h 9 €).

☿ LETTERE CAFFÈ *Café, centre culturel*

☎ 06 645 61 916 ; www.letterecaffe. org en italien ; Via San Francesco a Ripa 100-1 ; ☾ 18h30-2h ; 🚇 Piazza Trilussa

Les cultureux de toute espèce viennent ici feuilleter des livres, papoter devant un verre et se mêler à la faune bohème éclectique. Slam le lundi, électro le mercredi et toutes sortes de choses le reste du temps, des reprises de Patty Smith aux séances de peinture impromptues. Consultez le site web pour la liste des concerts.

☿ LIBRERIA DEL CINEMA *Café*

☎ 06 581 77 24 ; www.libreriadel cinema.roma.it en italien ; Via dei Fienaroli 31 ; ☾ 11h-21h dim-ven, 11h-23h sam ; 🚇 🚋 Viale di Trastevere

Un café intimiste, niché dans une librairie tendance consacrée au cinéma, où l'on peut boire un thé à la menthe et parcourir Pasolini au milieu des discussions de réalisateurs, acteurs et scénaristes locaux. Le choix de DVD d'art et d'essai va de pair avec un calendrier culturel bien fourni. Les projections, lectures et débats à venir figurent sur le site web.

☿ OMBRE ROSSE *Bar à vins*

☎ 06 588 41 55 ; Piazza Sant'Egidio 12 ; ☾ 8h-2h lun-sam, 18h-2h dim ; 🚇 Piazza Trilussa

NICCOLÒ AMMANITI
Romancier

Qu'est-ce qui inspire vos romans ? Généralement, le lieu. Puis les personnages arrivent et l'histoire prend forme. Le roman que j'écris actuellement se passe beaucoup à Rome. **Où se trouvent le cœur et l'âme de la ville ?** Sans aucun doute lors d'un derby Roma-Lazio au Stadio Olimpico (p. 183). **On parle d'un récent renouveau culturel à Rome. Mythe ou réalité ?** C'est vrai, en grande partie grâce aux initiatives de l'ancien maire Walter Veltroni. Mais cela ne crée pas nécessairement une nouvelle génération d'artistes. Les choses se développent naturellement. **Si vous deviez changer quelque chose à Rome, quelle serait-elle ?** La crainte d'innover, de mélanger sacré et profane, d'adopter l'architecture moderne. **La musique constitue l'un de vos principaux centres d'intérêt. Où les mélomanes doivent-ils se rendre ?** À l'auditorium du Parco della Musica (p. 182), à la Casa del Jazz (p. 145) et dans les festivals d'été. Le Trastevere est aussi un bon endroit pour les concerts, encore mieux si l'on mange ensuite des pâtes à la carbonara dignes de ce nom..

Son emplacement sur une place, son intérieur en bois chaleureux et sa clientèle cosmopolite rendent des plus plaisants ce bar à vins fort apprécié. Excellent choix de rhums et de whiskies à savourer en terrasse. Expositions artistiques tous les mois.

⭐ SORTIR

⭐ BIG MAMA *Musique live*
☎ 06 581 25 51 ; www.bigmama.it ; Vicolo di San Francesco a Ripa 18 ; carte de membre annuelle/mensuelle 13/8 € ; 🕐 21h-1h30 mar-dim oct à mi-juin ; 🚌 Piazza Trilussa

Haut lieu du blues dans la Ville éternelle, ce sous-sol exigu reçoit des musiciens italiens et étrangers de premier plan. Il programme également de la soul, du funk, du rock et du gospel. Réservation des tables en ligne ou par téléphone.

⭐ NUOVO SACHER *Cinéma*
☎ 06 581 81 16 ; www.sacherfilm.eu en italien ; Largo Ascianghi 1 ; 🚌 🚊 Viale di Trastevere

Cela n'a rien d'une coïncidence si ce cinéma rétro apparaît dans *Il Caimano* (Le Caïman, 2006) de Nanni Moretti : le réalisateur en est propriétaire et supervise sa programmation non commerciale. À la recherche d'une rareté ? Vous avez toutes les chances de la voir ici. Les films passent en v.o. le lundi. Petit bar et librairie sur place.

⭐ TEATRO INDIA *Théâtre*
☎ 06 688 04 601 ; www.teatrodiroma. net en italien ; Lungotevere dei Papareschi ; 🚌 Via Enrico Fermi

Dans un joli cadre postindustriel, le cadet du Teatro Argentina (p. 71) propose des pièces expérimentales pointues (ce qui change un peu à Rome) à l'image de *La Divine Mimesis* de Pasolini ou des œuvres récentes de Saverio La Ruina.

⭐ VILLA DORIA PAMPHILJ
Parc

🌅 **lever au coucher du soleil ;** 🚌 **Via di San Pancrazio**

Conçu par Alessandro Algardi au milieu du XVIe siècle, le plus grand parc de Rome offre un paysage romantique vallonné, idéal pour décompresser près d'une fontaine baroque, nourrir les canards du lac ou se promener dans des allées de carte postale à l'ombre des pins parasols. Idéal pour les enfants.

>VATICAN ET PRATI

Plus petit État souverain de la planète, la Cité du Vatican (0,44 km²) possède sa propre monnaie, sa poste, son journal, sa station de radio, sa télévision et sa garde suisse en tenue bigarrée et sa mini-gare ferroviaire. Il ne s'agit pas pour autant d'une petite enclave pittoresque, mais du siège de la grandiose basilique Saint-Pierre, l'une des églises les plus riches et les plus admirables de la Péninsule. Imaginée par les grands maîtres de l'architecture Renaissance et baroque, elle attire 20 000 visiteurs par jour. Quant aux musées du Vatican voisins, ils éblouissent les amateurs d'art les plus blasés.

Au nord, les madones cèdent la place à la classe moyenne romaine. Le quartier ordonné de Prati abrite des bars à vins et des restaurants, la Via Cola di Rienzo commerçante, le cinéma d'art et d'essai Azzurro Scipioni et le club de jazz Alexanderplatz.

C'est dans le paisible Borgo, coincé entre le Vatican et l'imposant château Saint-Ange, que logeaient les pèlerins au Moyen Âge. En descendant Borgo Pio, vous croiserez des cardinaux faisant leurs courses, des boutiques de bondieuseries kitsch et quelques bars rétro.

VATICAN ET PRATI

◎ VOIR
Castel Sant'Angelo............ **1** E5
Basilique Saint-Pierre..... **2** B5
Place Saint-Pierre............ **3** C5
Jardins du Vatican........... **4** B5
Musées du Vatican **5** B5

🏠 SHOPPING
Centro Russia Ecumenica Il
  Messaggio dell'Icona **6** D5
Furla **7** D4
Outlet Gente **8** D4

🍴 SE RESTAURER
Castroni **9** C4
Castroni **10** E4
Del Frate **11** D3
Dino & Tony **12** C3
Dolce Maniera **13** C3
L'Archangelo **14** F4
Osteria dell'Angelo........ **15** C2
Pizzarium **16** A4
Settembrini **17** E1
Shanti **18** D3

🍸 PRENDRE UN VERRE
Art Studio Café **19** E3
Gran Caffè Esperia......... **20** G5
Latteria Borgo Pio **21** D5

⭐ SORTIR
Alexanderplatz **22** B3
Baan Thai........................ **23** D4
Cinema Azzurro Scipioni .. **24** C3
Fonclea **25** D4

Voir carte ci-après

⊙ VOIR

⊙ CASTEL SANT'ANGELO

☎ 06 681 91 11 ; Lungotevere
Castello 50 ; adulte/18-24 ans de
l'UE 5/2,50 € , supp de 2 € pour les
expositions ; ⏱ 9h-19h mar-dim ;
🚌 Piazza Pia ; ♿

Le mausolée d'Hadrien (IIe siècle),
merveille de marbre blanc à
l'origine surmontée de cyprès, fut
converti au VIe siècle en forteresse
pontificale et se vit ajouter en 1277
un passage le reliant au Vatican.
C'est à travers les meurtrières du
château Saint-Ange que le pape
Clément VII regarda brûler sa
ville lors du sac de Rome en 1527.
Les étages supérieurs recèlent
de somptueux appartements
Renaissance, tandis que la terrasse
(immortalisée dans *Tosca* de
Puccini) offre une vue imprenable.
En contrebas, le Ponte Sant'Angelo
(pont Saint-Ange), qu'Hadrien fit
édifier en 136, présente de part et
d'autre des anges sculptés par le
Bernin quinze siècles plus tard.

⊙ BASILIQUE SAINT-PIERRE

☎ 06 698 81 662 ; www.stpetersbasilica.
org ; Piazza San Pietro ; ⏱ 7h-19h
avr-sept, jusqu'à 18h oct-mars, messe
8h30, 10h, 11h, 12h et 17h lun-sam,
11h30, 12h15, 13h, 16h et 17h45 dim
et fêtes, vêpres 17h dim ; 🚌 Via della
Conciliazione ou Piazza del Risorgimento
Ⓜ Ottaviano-San Pietro

Vue panoramique sur la place Saint-Pierre depuis la coupole de la basilique du même nom

Voir carte
Villa Borghèse
et nord de Rome
p. 176

Voir carte
Tridente p. 73

Voir carte
Centro Storico
p. 52

E **F** **G** **H**

Viale Giuseppe
Mazzini

Piazza
Giuseppe
Mazzini

Via Luigi Settembrini

Via Ciro Menotti

Via N. Ricciotti

Via Avezzana

Via Nicotera

Via G.Ferrari

Piazza
delle Cinque
Giornate

Ponte G
Matteotti

Via Fornovo

Via Flaminia

Via Arnaldo da Brescia

Via degli Scialoja

Via Cesare Beccaria

Piazza Monte
Grappa

Via Flaminia

Viale G. Washington

Viale del Muro
Torto

Via Viglena

Via Lepanto

Ponte
P. Nenni

Piazzale
Flaminio

Flaminia

Via Damata

Viale Giulio Cesare

Lepanto

Via Luisa di Savoia

Via degli Scipioni

Via Virginio Orsini

Via A. Farnese

Via M. A. Colonna

Lgt Michelangelo

Via M. Adelaide

Via P. Clotilde

Via P. Clotilde

Piazza
del
Popolo

Piazza
del Popolo

Via del Babuino

Via Dunio

Via Ezio

Via dei Gracchi

Piazza
della
Libertà

Pass. di Ripetta

Lgt in Augusto

TRIDENTE

Piazza
dei
Quinti

Piazza Cola
de Rienzo

Via di Ripetta

Via di Gesù e Maria

Via di
San Giacomo

Opolo Emilio

Via Cola di Rienzo

Via Valadier

Lgt del Mellini

Via A
Canova

Via dei Greci

Via del Corso

Via A. Regolo

Via Orazio

Via Ennio Quirino Visconti

Via Giuseppe G. Belli

Tibre

Via Ara Pacis

Via Boezio

Via C. Cicerone

Via Pietro Cossa

Piazza
Augusto
Imperatore

Via Cassiodoro

Via Tacito

Via Lucrezio Caro

Lgt in Augusto

Largo degli
Schiavoni

Via Crescenzio

Piazza
Cavour

Largo
San
Rocco

Piazza Adriana

Via Triboniano

Via Ulpiano

Lgt Prati

Ponte
Cavour

Via del Clementino

Piazza San
Lorenzo
in Lucina

COLONNA

Palazzo di
Giustizia

argo
ttorio
stello

Point
d'information
touristique

Piazza
Pia

Lgt Castello

Ponte
Umberto I

Lgt Marzio

Piazza
Nicosia

Via Metastasio

Piazza del
Parlamento

Ponte
Sant'Angelo

Piazza
Ponte San
Angelo

Piazza di
San Salvatore
in Lauro

Piazza di
Sant'Agostino

Piazza del
Montecitorio

Ponte
nuele II

PONTE

Piazza
del Oro

Piazza
di Monte
Vecchio

Largo
Febo

1

2

3

10

Ponte
Margherita

Ponte
Umberto I

Elisabetta Lulli
Restauratrice d'art

Je restaure… Tout, des fresques Renaissance aux f
passant pas les mosaïques romaines, sur site ou dan
ceux du Capitole (p. 42). **Les principales causes de**
comprennent les moisissures et les restaurations an
produits chimiques agressifs. Depuis la fondation de
Restauro dans les années 1950, les substances emplo
les matériaux d'origine. **Mon projet préféré** J'ai tr
Carlo alle Quattro Fontane (p. 86). Retrouver les surfa
de l'église a été une expérience merveilleuse. **Ne ma**
Sixtine dans les musées du Vatican (p.168) car, outre
d'artistes ont œuvré là. Les fresques de la Basilica di S
aussi partie de mes favorites. **Pour vous faire plais**
antiques de la Chiesa di Santa Costanza (p. 175). L'égl
un exemple bien conservé d'architecture romaine.

Pas besoin d'avoir la foi pour être ébloui par tant d'opulence architecturale. Il faut en revanche être vêtu de manière approprié (pas de short, ni de minijupe et d'épaules dénudées) pour entrer. Le portail de la basilique est orné d'une mosaïque de Giotto, réalisée vers 1298 d'après celle de l'église primitive du IVe siècle. À l'intérieur de la porte principale, un disque de porphyre marque l'endroit où Charlemagne et les souverains du Saint Empire romain germanique furent couronnés par le pape. À droite du maître-autel, les fidèles ont usé de leurs baisers les pieds de la statue en bronze de saint Pierre, une œuvre du XIIIe siècle attribuée à Arnolfo di Cambio. Si vous ne souffrez pas du vertige, il faut absolument monter au sommet de la majestueuse **coupole** (avec/sans ascenseur 7/6 € ; ⏱ 8h-18h avr-sept, jusqu'à 16h45 oct-mars) de Michel-Ange pour profiter du panorama urbain à couper le souffle.

◉ PLACE SAINT-PIERRE

🚌 **Via della Conciliazione ou Piazza del Risorgimento** Ⓜ **Ottaviano-San Pietro**
Vue d'en haut, la Piazza San Pietro évoque un gigantesque trou de serrure. Pour le Bernin, son architecte, la double colonnade de la place devait symboliser les "bras maternels de l'Église". L'ensemble avait été initialement conçu pour subjuguer les pèlerins qui émergeaient du lacis de ruelles

AUDIENCES PONTIFICALES

Le pape rencontre les fidèles catholiques chaque mercredi à 11h dans la basilique Saint-Pierre (à Castel Gandolfo en juillet-août). Pour obtenir gratuitement un billet, il faut écrire à la Prefettura della Casa Pontificia, 00120 Città del Vaticano. Si vous résidez déjà à Rome, téléphonez ou présentez-vous à la **Prefettura** (☎ 06 698 84 631 ; ⏱ 9h-13h), au-delà des portes de bronze sous la colonnade à droite de Saint-Pierre. Lorsqu'il n'est pas en déplacement, le souverain pontife bénit aussi la foule sur la place Saint-Pierre (Piazza San Pietro) le dimanche à midi. Dans ce cas, pas de billet requis.

médiévales, rasé sous Mussolini pour laisser place à la Via della Conciliazione qui traverse le secteur. L'obélisque central, ramené d'Héliopolis par Caligula, se dressait au tournant de l'hippodrome construit sous Néron.

◉ JARDINS DU VATICAN

Fax 06 698 84 019 ; Città del Vaticano ; adulte/enfant 18/14 € ; ⏱ visites guidées 11h mar, jeu et sam mars-oct, 11h sam nov-fév ; 🚌 Piazza del Risorgimento Ⓜ Ottaviano-San Pietro
Il est nécessaire de réserver par fax au moins une semaine à l'avance pour découvrir les jardins du Vatican, mais le jeu en vaut la chandelle. Ils comprennent un parterre de fleurs à la française, une partie à l'italienne,

Les icônes kitsch font des souvenirs originaux.

un bois à l'anglaise et des grottes. Il existe même un potager destiné à la table pontificale.

🅖 MUSÉES DU VATICAN
☎ 06 698 83 333 ; www.vatican.va ; **Viale Vaticano ; adulte/moins de 14 ans et étudiant /moins de 6 ans 14/8 €/gratuit, dernier dim du mois gratuit ;** ⏲ **8h30-18h (dernière entrée 16h) lun-sam, 8h30-14h (dernière entrée 12h30) dernier dim du mois ;** 🚌 **Piazza del Risorgimento** Ⓜ **Ottaviano-San Pietro ;** ♿
Ne vous laissez pas décourager par les horribles files d'attente, le samedi et le lundi surtout, car peu de musées réunissent des trésors artistiques d'une telle envergure. Pour une visite éclair, concentrez-vous sur les Stanze di Raffaello, la Pinacothèque, les Gallerie delle Carte Geografiche et la Chapelle Sixtine. Quatre itinéraires balisés de couleurs différentes facilitent heureusement l'orientation. À noter aussi, des **visites guidées** (fax 06 698 84 019 ; visiteguidate. musei@scv.va ; entrée adulte et audioguide/ tarif réduit 29,50/23,50 € ; ⏲ 10h30, 12h et 14h lun-sam mars-oct, 10h30 lun-sam nov-fév) de deux heures, sur réservation, qui englobent les collections et la Chapelle Sixtine. Sinon, louez un audioguide (6 €).

🅱 SHOPPING
🅐 CENTRO RUSSIA ECUMENICA IL MESSAGGIO DELL'ICONA *Souvenirs*
☎ **06 689 66 37 ; Borgo Pio 141 ;** ⏲ **9h-19h lun-sam, 10h-17h dim ;** 🚌 **Piazza del Risorgimento**
Les icônes étincelantes de style byzantin et les cartes de prière kitsch en vente dans cette boutique font des souvenirs originaux, à offrir à une grand-mère pieuse ou à des amis à l'humour décalé.

🅐 FURLA *Accessoires*
☎ **06 687 45 05 ; www.furla.com ; Via Cola di Rienzo 226 ;** ⏲ **10h-14h et 16h-20h lun, 10h-20h mar-sam ;** Ⓜ **Ottaviano-San Pietro**

Furla remplace avantageusement Fendi à des prix accessibles. Ses sacs simples et pratiques sont rehaussés d'une belle gamme de couleurs et de finitions. On peut les assortir avec les lunettes et talons aiguilles de la marque. Autres enseignes dans Tridente (p. 78) et Monti (p. 97).

⬚ OUTLET GENTE
Mode, accessoires

☎ 06 689 26 72 ; Via Cola di Rienzo 246 ; ☽ 10h-19h30 lun-sam, 10h30-13h30 et 15h30-19h30 dim ; Ⓜ Ottaviano-San Pietro

Si votre carte de crédit n'a pas aimé la boutique principale de Gente (p. 78), tentez votre chance dans ce magasin en sous-sol où les mocassins Prada, les vêtements Chloe et autres articles du genre font l'objet de rabais démocratiques allant jusqu'à 50%.

🍴 SE RESTAURER

🍴 AL SETTIMO GELO
Glacier €

☎ 06 372 55 67 ; Via Vodice 21a ; ☽ 10h-21h30 mar-sam, 10h-13h30 et 15h30-21h30 dim ; 🚌 Piazza Giuseppe Mazzini

Le nom de ce glacier, qui signifie "septième gel", joue avec l'expression "septième ciel" et on comprend pourquoi en dégustant ses produits fabriqués à partir d'ingrédients de premier ordre. Les palais les plus blasés apprécieront

particulièrement la glace grecque à la cardamome confectionnée d'après une antique recette afghane.

🍴 CASTRONI *Traiteur* €

☎ 06 687 43 83 ; Via Cola di Rienzo 196 ; ☽ 8h-21h lun-dim ; Ⓜ Ottaviano-San Pietro

Une véritable caverne d'Ali Baba pour les gourmands, avec des rangées sans fin d'étagères garnies de pâté d'artichaut, de blocs de chocolat et de produits étrangers difficiles à trouver comme le Vegemite ou le thé Twinings. Le bar sert un bon expresso et l'on peut aussi goûter toutes ces choses exquises au 55 Via Ottaviano et plus loin dans le secteur de Trevi (voir p. 90).

🍴 DEL FRATE *Bar à vins* € €

☎ 06 323 64 37 ; Via degli Scipioni 118 ; ☽ 13h-15h et 18h30-0h30 lun-ven, 18h30-1h30 sam-dim, fermé 2 semaines en août ; Ⓜ Ottaviano-San Pietro

Très apprécié des Romains amateurs de vins, l'endroit associe les crus classiques à une fabuleuse cuisine de saison. Les plats crus, dont le tartare de thon, sortent du lot, et la tourte chaude au chocolat relève du péché.

🍴 DINO & TONY *Trattoria* €

☎ 06 397 33 284 ; Via Leone IV 60 ; ☽ 12h30-15h et 19h30-23h30 lun-sam ; Ⓜ Ottaviano-San Pietro

L'épicerie fine Castroni, véritable paradis des gourmets (p. 169)

Pendant que Tony s'agite aux fourneaux, Dino chante de sa voix de ténor, plaisante et sert d'énormes portions de plats romains simples et réconfortantes. La *pasta alla grigia* (pâtes au *pecorino*, à la pancetta et au poivre noir) est légendaire, tandis que la copieuse assiette d'antipasti (jambon, croquettes, pizza recouverte de roquette et légumes au gratin) rassasie les plus affamés. Pour conclure en beauté, commandez la spécialité de la maison, la *granita di caffè* (café avec de la glace pilée et de la crème fouettée). À noter que l'établissement n'accepte pas les cartes de crédit.

🍽 DOLCE MANIERA
Pâtisserie €

☎ 06 375 17 518 ; Via Barletta 27 ;
🕐 24h/24 ; Ⓜ Ottaviano-San Pietro

De jour comme de nuit, cette boulangerie-pâtisserie en sous-sol s'affaire pour combler les petits creux avec des en-cas qui défient les régimes : *panini* (sandwichs) ultra frais, parts de pizza, gâteaux et *cornetti* (croissants italiens) divers à prix modique.

🍽 L'ARCANGELO
Restaurant € €

☎ 06 321 09 92 ; Via Giuseppe Gioachino Belli 59-61 ; 🕐 13h-15h30 et 20h-23h30

LES DIX COMMANDEMENTS DE L'AUTOMOBILISTE

En juin 2007, le Vatican a produit un document de 36 pages intitulé *Directives pour une conduite pastorale sur la route*. Contenant dix commandements destinés aux automobilistes, il met en garde contre la tentation de faire l'intéressant au volant, une volonté de pouvoir et de domination qui constitue un péché. Vu le penchant des Italiens pour la frime, les chahuts à l'arrière des voitures et les queues de poissons, on peut seulement prier pour que Dieu se montre très miséricordieux.

lun-ven, 20h-23h30 sam sept-juil ;
🚌 **Via Cicerone**

Les gourmets locaux sont prompts à recommander cette table élégante qui revisite à merveille les classiques de la cuisine italienne. Imaginez une soupe de tomate froide aux raviolis romains ou une mousse de noisette agrémentée d'une *gianduia* à la grappa.

🍴 OSTERIA DELL'ANGELO
Trattoria
€

☎ **06 372 94 70 ; Via Giovanni Bettolo 24 ;** 🕐 **20h-23h lun-sam 12h30-14h30 et 20h-23h mar-ven, fermé 2 semaines en août ;** Ⓜ **Ottaviano-San Pietro**

Angelo, un ex-joueur de rugby, et son personnel tout droit sorti de la mêlée proposent une superbe formule grillades et un menu substantiel (25- 30 €). Parmi les plats figurent des pâtes roboratives, des salades et des plats de résistance comme le lapin ou les tripes. Mieux encore, le pain, le vin et l'eau sont inclus dans le prix. N'accepte pas les cartes de crédit.

🍴 PIZZARIUM *Pizza à la part* €
☎ **06 397 45 416 ; Via della Meloria 43 ;** 🕐 **11h-22h lun-sam ;** Ⓜ **Cipro-Musei Vaticani**

Sans aucun doute la meilleure pizza à la part de Rome, approuvée même par Il Gambero Rosso qui fait autorité en matière de gastronomie. Présentée sur une planchette en bois, la pâte gonflée et croustillante est garnie d'ingrédients très savoureux. Une sélection de bières rares complète le tout. On mange debout.

🍴 SETTEMBRINI *Bar à vins, restaurant* €€
☎ **06 323 26 17 ; Via Luigi Settembrini 25 ;** 🕐 **12h30-15h30 et 20h-1h lun-sam ;** 🚌 **Piazza Giuseppe Mazzini**

Le personnel de la RAI voisine adorent ce restaurant/bar à vins de style contemporain dont les lignes sinueuses forment un cadre propice aux ragots people. La carte des vins franco-italienne impertinente, les plats rustiques nouvelle tendance et le menu dégustation de cinq plats assortis d'autant de vins facilitent la conversation.

🍴 SHANTI *Indien* €
☎ 06 324 49 22 ; Via Fabio Massimo 68 ;
⏱ 12h30-15h et 19h-24h lun-dim ;
Ⓜ Ottaviano-San Pietro

Merci Krishna d'avoir créé Shanti, l'un des meilleurs restaurants de Rome pour la cuisine du Sous-Continent. Le décor exotique à l'indienne, l'éclairage tamisée et les serveurs – ô combien charmants – vont de pair avec les mets délicatement épicés comme le *shanty kofta* (croquettes de légumes), les tandooris et le *dhal*. Un divin *lassi* à l'eau de rose aide à faire passer le tout.

🍸 PRENDRE UN VERRE

🍸 ART STUDIO CAFÉ *Café*
☎ 06 972 77 286 ; www.artstudiocafe.com ; Via dei Gracchi 187a ; ⏱ 8h30-18h30 lun-sam ; Ⓜ Ottaviano- San Pietro

Les mères de famille aiment ce café bohème doté d'une école de mosaïque pour ceux qui souhaitent exercer leur créativité devant un thé à la bergamote. Inscrivez-vous aux cours ou contentez-vous d'admirer les objets sur les étagères.

🍸 GRAN CAFFÈ ESPERIA *Café*
☎ 06 321 10 016 ; Lungotevere dei Mellini 1 ; ⏱ 7h-24h lun-dim mai-sept, jusqu'à 21h30 oct-avr ; 🚊 Piazza Cavour

Ce café Art nouveau réaménagé plaît à tout le monde, surtout à la bourgeoisie élégante et pressée de Prati qui vient prendre ici prendre un *caffè* parfait accompagné de pâtisseries ou se montrer en terrasse devant un verre de champagne.

🍸 LATTERIA BORGO PIO *Bar*
☎ 06 688 03 955 ; Via Borgo Pio 48 ; ⏱ 7h-21h lun-sam ; 🚊 Piazza del Risorgimento

Le comptoir en marbre de cette vieille *cremeria* (une sorte de bar en voie de disparition qui vend du lait frais de ferme) voit défiler les buveurs d'espresso et les mangeurs de croissants depuis 1912 (son réfrigérateur en bois est encore plus ancien). Les commérages vont bon train près de la machine à sous, tandis que d'autres clients lisent le journal en mangeant un *panino* dans la rue de carte postale.

⭐ SORTIR

⭐ ALEXANDERPLATZ
Musique live
☎ 06 397 42 171 ; www.alexanderplatz.it ; Via Ostia 9 ; entrée avec adhésion mensuelle 10 € ; ⏱ 20h-1h30 lun-dim ; Ⓜ Ottaviano-San Pietro

Le grand club de jazz de Rome programme des musiciens italiens et étrangers remarquables, parmi lesquels George Coleman et Lionel Hampton. Les concerts débutent vers 22h et il importe de réserver une table si l'on veut dîner. De juin à septembre, Alexanderplatz déménage en plein air pour le Villa Celimontana Jazz Festival (p. 24).

⭐ BAAN THAI *Massages*

☎ 06 688 09 459 ; www.baanthai.it ; **Borgo Angelico 22a ; à partir de 30 € ;** 🕐 **11h-22h lun-dim ;** 🚌 **Piazza del Risorgimento**

Lieu de détente parfait après une visite du Vatican, ce centre de massage délassant combine décor chic de style thaï, huiles divinement parfumées et personnel aimable. Les soins comprennent notamment un massage corporel ayurvédique (1 heure, 60 €). Réservation conseillée du vendredi au dimanche.

⭐ CINEMA AZZURRO SCIPIONI *Cinéma*

☎ 06 397 37 161 ; www.azzurroscipioni. com en italien ; billets 6 € ; Via degli Scipioni 82 ; 🅜 Ottaviano-San Pietro

Le cinéaste italien Silvano Agosti a ouvert ce petit cinéma de deux salles après avoir rêvé que Charlie Chaplin lui disait de le faire. Si vous trouvez cela bizarre, que penserez-vous alors des sièges d'avion ? La programmation propose des films d'art et d'essai italiens et étrangers, ainsi que des classiques hollywoodiens.

⭐ FONCLEA *Musique live*

☎ 06 689 63 02 ; www.fonclea.it en italien ; Via Crescenzio 82a ; entrée libre dim-ven, 6 € sam ; 🕐 19h-2h sept-juin ; 🚌 Piazza del Risorgimento

Adresse-phare pour sortir le soir dans le quartier de Borgo, ce petit pub accueille des groupes de jazz, de soul, de funk et de rock. Il s'installe en plein air en juillet-août ; téléphonez pour connaître l'endroit.

>VILLA BORGHÈSE ET NORD DE ROME

Avant que Rome ne devienne la capitale de l'Italie en 1871, la zone au nord et au nord-est du Tridente était une verte étendue de vignobles émaillée de monastères et de propriétés nobiliaires. L'essor de la construction qui suivit l'unification du pays mit un terme à cette vision bucolique, dont la Villa Borghèse figure parmi les rares rescapés.

Conçu par des paysagistes de renom, parmi lesquels l'Écossais Jacob More, ce parc de 59 ha se prête idéalement à un moment de détente urbaine. Il s'agit également d'un haut lieu culturel qui regroupe le Museo Carlo Bilotti, la Casa del Cinema et le Museo e Galleria Borghese, véritable temple des amateurs d'art.

Longeant le côté ouest du parc, l'ancienne Via Flaminia se dirige au nord vers MAXXI et l'Auditorium Parco della Musica, l'historique pont Milvius et le Stade olympique grondant de supporters. À l'est, la banlieue romaine recèle des trésor hétéroclites : centre d'art contemporain MACRO, mosaïques paléochrétiennes, rues pittoresques et fresques souterraines.

VILLA BORGHÈSE ET NORD DE ROME

Voir carte ci-après

👁 VOIR

◉ BASILICA DI SANT'AGNESE FUORI-LE-MURA ET CHIESA DI SANTA COSTANZA

☎ 06 861 08 40 ; Via Nomentana 349 ; catacombes 5 € ; 🕑 9h-11h30 et 16h-17h30 lun-sam, 16h-18h dim, catacombes fermées en nov ; 🚌 Via Nomentana

Constantin fit construire la Basilica di Sant'Agnese au IVe siècle en l'honneur de sainte Agnès qui repose dans les catacombes sous l'édifice et dont une fresque du VIIe siècle illustrant le martyre par le feu scintille dans l'abside. De l'autre côté de la cour du couvent, la Chiesa di Santa Costanza fut édifiée pour abriter les tombeaux des filles de l'empereur, Constance et Hélène. Considérées comme l'une des plus belles œuvres architecturales de l'Antiquité romaine tardive, ses mosaïques du IVe siècle seraient aussi les doyennes de la chrétienté.

◉ CATACOMBE DI PRISCILLA

☎ 06 862 06 272 ; Via Salaria 430 ; 5 € ; 🕑 8h30-12h et 14h30-17h mar-dim fév-déc ; 🚌 Via Salaria

Les catacombes de sainte Priscille renferment des fresques funéraires antiques parmi les plus fascinantes de Rome, notamment la plus ancienne représentation de la Vierge à l'Enfant (1800 ans), ainsi que de superbes scènes bibliques rehaussées de stucs dans la Cappella Greca.

◉ EXPLORA – MUSEO DEI BAMBINI DI ROMA

☎ 06 361 37 76 ; www.mdbr.it ; Via Flaminia 82 ; adulte/3-12 ans/moins de 3 ans 6/7 €/gratuit ; 🕑 visites 10h, 12h, 15h et 17h mar-dim sep-juil, 12h, 15h et 17h août ; Ⓜ Flaminio

Conçu comme une ville miniature, avec un hôpital et même un plateau de télévision, ce musée fonctionnant à l'énergie solaire permet aux enfants de jouer les grandes personnes grâce à des installations interactives. Le temps de visite est limité à 1 heure 45. Réservation conseillée en semaine, impérative le week-end.

◉ GALLERIA NAZIONALE D'ARTE MODERNA

☎ 06 322 98 221 ; www.gnam.arti.beniculturali.it ; Viale delle Belle Arti 131, entrée handicapés Via Antonio Gramsci 73 ; adulte/18-25 ans de l'UE/moins de 18 ans et plus de 65 ans de l'UE 9/7 €/gratuit ; 🕑 8h30-19h30 mar-dim ; 🚌 Viale delle Belle Arti ; ♿

Souvent ignorée, la GNAM fait pourtant partie des grands musées d'art de Rome. Elle abrite une brillante collection de peintures et de sculptures des XIXe et XXe siècles, essentiellement d'artistes italiens. Parmi les pièces maîtresses, citons des œuvres de Canova, de Modigliani et des *macchiaioli* (mouvement vériste). Le surréaliste De Chirico, les futuristes Boccioni

E   F   G   H

1

2

Via Salaria

Via Ponte Salario

0 ——————— 500 m

Villa Ada

TRIESTE

3

Via Romania

Vers Brancaleone
(2 km)

Viale della Moschea

Largo Bellini

PARIOLI

Via Salaria

Piazza
Cuba

Villa
Grazioli

Piazza
Verbano

1

4

Antonio Bertolini

Piazza
G. Verdi

Via Liegi

Consulat
d'Autriche

Via Chiana

NOMENTANO

uozzi

acci

Viale G. Rossini

Via Tagliamento

Via S. Mercadante

Via Panama

Via Terso

11

Via Ombrone

Ambassade
d'Autriche

Piazzale
Giardino
Zoologico

Piazza
Trento

Ambassade
d'Australie

Ambassade
du Canada

Via Salaria

Via Po

Via Basento

Piazzale
Scipione
Borghese

Viale Regina Margherita

Consulat
du Canada

Ambassade
de Nouvelle-Zélande

Piazza
Regina
Margherita

Via Rovig

Piazza
Bologna

5

Villa
orghese

Via Tevere

Via Savoia

SALARIO

Via Reggio
Emilia

5

Piazza Rio
de Janeiro

Piazza
Galeno

Via Musa   Via Siracusa

Bologna

Entrée de la
la Borghèse

Via Campania

Piazza
Fiume

Via Salerno

Piazza
Salerno

Via Imperia

**Voir carte Trevi,
Quirinal et Via
Veneto p. 85**

Porta Pia

Piazza
Porta Pia

Viale del Policlinico

Policlinico

Via Treviso

6

SALLUSTIANO

Via Palestro

Via Golto

Castro Pretorio

TIBURTINO

Le MACRO aborde l'art contemporain bille en tête

et Balla, les trans-avant-guardistes Clemente, Cucchi et Paladino, ainsi que le chef de file du mouvement spatial Lucio Fontana, sont également représentés. Parmi les maîtres étrangers Degas, Cézanne, Duchamp et Klimt occupent une bonne place. Le splendide café en plein air constitue un charmant épilogue après cet épisode culturel.

◉ MACRO (MUSEO D'ARTE CONTEMPORANEA DI ROMA)

☎ 06 671 070 400 ; www.macro.roma. museum ; 1 € ; Via Reggio Emilia 54 ; ⏰ 9h-19h mar-dim ; 🚌 Via Nizza
Récemment réaménagé avec l'ajout d'une extension conçue par l'architecte française Odile Decq, le musée d'Art contemporain de Rome rassemble des œuvres de grands peintres italiens de l'après-guerre

comme Achille Perilli et Leoncillo, d'autres de la Nuova Scuola Romana du Pastificio Cerere (voir l'encadré p. 108). Ses expositions temporaires présentent souvent des talents émergeants de la scène internationale.

◉ MAXXI (MUSEO NAZIONALE DELLE ARTI DEL XXI SECOLO)

☎ 06 321 01 81 ; www.maxxi.darc.beni culturali.it ; Via Guido Reni 10 ; entrée libre ; ⏰ expositions 11h-19h mar-dim, fermé jusqu'à l'été 2009 ; 🚌 🚊 Via Flaminia
Installé dans un bâtiment en béton curviligne de l'Anglo-Irakienne Zaha Hadid, ce musée tant attendu consacré à l'art et à l'architecture du XXIe siècle devrait ouvrir officiellement à l'été 2009. Il accueillera des expositions sur des

thèmes allant de l'urbanisme au corps cybernétique.

MUSEO CARLO BILOTTI

☎ 06 853 57 446 ; www.museocarlobilotti.it ; Viale Fiorello La Guardia ; adulte/enfant 4,50/2,50 €, supp pour les expositions temporaires 1,50 € ; ◷ 9h-19h mar-dim ; 🚌 Porta Pinciana

Entrez dans l'orangerie de la Villa Borghèse pour découvrir la magnifique petite collection d'art réunie par le magnat italo-américain de l'industrie cosmétique Carlo Bilotti. Vous y verrez, entre autres, un portrait de Mme Bilotti et de sa fille défunte peint par Warhol, de même que 18 toiles de Giorgio De Chirico. Des expositions temporaires complètent le tout. Le photographe Timothy Greenfield Sanders y a récemment exposé.

MUSEO E GALLERIA BORGHESE

☎ 06 3 28 10 ; www.ticketeria.it ; Piazzale del Museo Borghese ; adulte/18-25 ans de l'UE/moins de 18 ans et plus de 65 ans de l'UE 8,50/5,25 €/gratuit ; ◷ 9h-19h30 mar-dim ; 🚌 Via Pinciana

Si vous n'avez de temps ou d'envie que pour un seul musée de Rome, choisissez celui-ci. Il renferme la "reine des collections privées", parfaite introduction à l'art Renaissance et baroque. Afin de limiter l'affluence, les visiteurs sont admis toutes les 2 heures (9h, 11h, 13h, 15h et 17h) pour une durée maximale de 2 heures. Il faut donc attendre son tour après le retrait du billet obligatoirement réservé à l'avance. Les créneaux les plus calmes sont ceux de 9h et de 17h.

MUSEO NAZIONALE ETRUSCO DI VILLA GIULIA

☎ 06 82 46 20 ; www.ticketeria.it ; Piazzale di Villa Giulia 9 ; adulte/18-25 ans de l'UE/moins de 18 ans et plus de 65 ans de l'UE 4/2 €/gratuit ; ◷ 8h30-19h30 mar-dim ; 🚌 Viale delle Belle Arti

Si la civilisation étrusque vous intéresse, ne manquez pas cette superbe collection exposée dans une résidence d'été construite au XVIe siècle pour le pape Jules III. Le touchant *Sarcophage des Époux* (VIe siècle av. J.-C.), l'*Apollon de Véies* (idem), une statue en terre cuite polychrome, et le *Cratère d'Euphronius* (idem), acquis depuis peu et considéré comme un remarquable exemple de poterie hellénique, retiennent particulièrement l'attention.

PONTE MILVIO

🚌 Ponte Milvio

Ce pont qui attire désormais les couples d'adolescents (voir l'encadré p. 180) a connu une histoire tumultueuse. C'est en effet sur le pont Milvius que l'empereur Constantin vainquit Maxence en 312, marquant ainsi une étape décisive dans la conversion de l'Europe au christianisme. En 1849, les troupes de Giuseppe Garibaldi firent exploser l'ouvrage datant de 109 av. J.-C. pour arrêter les Français, mais il fut rebâti l'année suivante.

⊙ QUARTIERE COPPEDÈ

🚌 🚃 Viale Regina Margherita

Si Gaudí et les frères Grimm avaient imaginé ensemble un projet d'urbanisme, la banlieue de Rome ressemblerait probablement à cela. Accessible à l'angle de la Via Tagliamento et de la Via Dora, ce quartier compact conçu dans les années 1920 par l'architecte florentin peu connu Gino Coppedè présente un fascinant méli-mélo de styles : tourelles toscanes, sculptures Liberty, arches mauresques, gargouilles gothiques,

façades recouvertes de fresques et jardins bordés de palmiers. Au centre se déploie la curieuse Piazza Mincio, dont la Fontana delle Rane (fontaine des Grenouilles) s'inspire de la Fontana delle Tartarughe (fontaine des Tortues ; p. 55) plus célèbre.

⊙ VILLA BORGHÈSE

Entrées à Porta Pinciana, sur le Piazzale Flaminio et au Pincio (au-dessus de la Piazza del Popolo) ; 🕐 aube-crépuscule ; 🚌 Porta Pinciana

Équivalent romain de Central Park, la Villa Borghèse constitue un lieu de répit au cœur de l'agitation urbaine. Le Giardino del Lago à l'anglaise date de la fin du XVIIIe siècle, comme d'ailleurs la Piazza di Siena, l'amphithéâtre qui accueille en mai la grande manifestation équestre de Rome. À l'extrémité ouest du

LE PONT DE L'AMOUR

Dans le roman pour adolescents de Federico Moccia *J'ai envie de toi* (Calmann-Lévy, 2007), le personnage de Step invente une légende dans laquelle les amoureux scellent leur serment éternel en attachant une chaîne autour d'un réverbère du Ponte Milvio (p. 179) et jettent la clé dans le Tibre en contrebas.

Une adaptation cinématographique plus tard, la fiction devient un véritable phénomène de mode et les teenagers commencent à investir le pont, armés de cadenas. En l'espace de quelques mois, trois réverbères s'écroulent sous le poids des chaînes, obligeant le maire Walter Veltroni à installer un éclairage public spécialement adapté pour les accueillir. L'opposition de droite ne tarde pas à condamner cette mesure comme "anti-romantique" et Dieu sait qu'on ne plaisante pas à ce sujet en Italie.

Désormais, la tradition se poursuit d'une manière un peu différente. Tandis que sur place des marchands vendent des cadenas et des stylos, il existe aussi une version virtuelle sur le site www.lucchettipontemilvio.com (en italien) pour les tourtereaux désireux de respecter l'environnement.

Réveillez le romantique qui sommeille en vous sur le lac de la Villa Borghèse

parc, les jardins de la colline du Pincio offrent une vue somptueuse sur la ville. On peut louer des vélos (4 €/heure) à différents endroits, notamment dans la Via delle Belle Arti proche de la Galleria Nazionale d'Arte Moderna (p. 175).

SHOPPING

NOTEBOOK Livres, musique

☎ 06 806 93 461 ; Viale Pietro de Coubertin 30 ; ⏰ 10h-20h lun-dim ; 🚇 Viale Tiziano

Cette vaste boutique dans l'Auditorium Parco della Musica (p. 182) décline un choix important de livres sur l'art, le cinéma, la musique, le design et les voyages, pour la plupart en italien. Elle vend aussi des CD, des DVD et des articles de l'Auditorium propres à satisfaire les amoureux de la culture les plus transis. Pour être au courant des événements littéraires à venir, consultez le site www.auditorium.com en utilisant le mot clé "bookshop".

SE RESTAURER

RED Bar-restaurant ㅤㅤㅤㅤ€€

☎ 06 806 91 630 ; Viale Pietro de Coubertin 12-16 ; ⏰ 10h30-2h lun-dim, happy hour 18h30-21h ; 🚇 Viale Tiziano

Dans l'Auditorium Parco della Musica (p. 182), ce bar-restaurant design en met plein la vue avec son mobilier signé Philippe Starck, sa clientèle urbaine glamour et ses plats d'inspiration méditerranéenne comme les crevettes géantes au vinaigre balsamique. Attention : à l'heure de l'*aperitivo* (happy hour), il faut commander un autre verre pour pouvoir remplir de nouveau son assiette. Un conseil : garnissez bien la vôtre d'aubergines marinées, de couscous végétarien et autres délices. Sinon, commandez à la carte.

ⓨ PRENDRE UN VERRE

La Galleria Nazionale d'Arte Moderna (p. 175), l'Auditorium Parco della Musica (p. 182) et la Casa del Cinema (p. 182) possèdent des cafés corrects. À l'heure où nous rédigeons, d'autres pourraient voir le jour au MACRO (p. 178) et au MAXXI (p. 178).

ⓨ CASINA VALADIER
Restaurant, bar en plein air

☎ 06 699 22 090 ; www.casinavaladier.
it ; Piazza Bucarest ; ☙ bar en plein air 11h-17h (quand le temps le permet), restaurant 12h30-15h et 20h-23h mar-sam, 12h30-15h dim ; Ⓜ Flaminia
Cette table recherchée, dans un pavillon néoclassique jouissant d'une perspective remarquable sur le nord de Rome, est idéale pour un tête-à-tête romantique. Son jardin luxuriant parsemé de citrus invite à lézarder au soleil devant une flûte de *prosecco* rosé.

★ SORTIR

★ AUDITORIUM PARCO DELLA MUSICA *Centre culturel*

☎ 06 802 41 281, billetterie 199 109 783 ; www.auditorium.com ; Viale Pietro de Coubertin ; 🚌 Viale Tiziano 🚋 Via Flaminia
Le nouvel épicentre culturel de Rome vibre au rythme des concerts, des expositions d'art et des manifestations littéraires, de l'Orchestre philharmonique d'Israël à la rétrospective Steve Reich. C'est aussi un lieu de restauration et de shopping. Le week-end, une **visite guidée en italien** (adulte/moins de 26 ans et étudiant/plus de 65 ans 9/5/7 €) vous fera découvrir l'architecture de Renzo Piano. Des visites en français, à réserver, sont possibles pour les groupes d'au moins dix personnes.

★ CASA DEL CINEMA *Cinémathèque*

☎ 06 42 36 01 ; www.casadelcinema.it ; Largo Marcello Mastroianni 1 ; ☙ galerie 15h-19h tlj, librairie 12h-20h mar-dim, vidéothèque 16h-20h mar-dim (dernière entrée à 18h30) ; 🚌 Via Pinciana
Dans l'enceinte de la Villa Borghèse, la "maison du cinéma" comporte un espace d'exposition consacré au film, une librairie, deux salles de projection qui programment des œuvres d'art et d'essai en v.o., le café/bar **Cinecaffé** (☎ 06 420 16 224 ; ☙ 10h-19h lun-dim) et plus de 2 500 DVD à visionner gratis.

TOTTI, L'ENFANT CHÉRI DE ROME

En juin 2007, le capitaine de l'AS Roma Francesco Totti a remporté la chaussure d'or du meilleur buteur européen. Les Romains n'ont pas pu s'empêcher de jubiler devant ce succès de leur fils préféré, plus d'une fois attiré hors de sa ville bien-aimée par la promesse de contrats étrangers lucratifs. Mais quand on gagne 6 millions d'euros par saison, on n'est pas pressé de faire ses bagages.

Né en 1976, Totti a intégré l'AS Roma à 16 ans. En janvier 2008, il a marqué son 200e but avec le club lors d'une victoire 4-0 contre Turin. La comparaison avec Beckham a quelque chose d'inévitable. Comme lui, Totti doit la vénération dont il fait l'objet à son aspect physique et son talent, et l'on moque de même sa stupidité. En 2005, après avoir marqué lors du derby de Rome, il a glissé le ballon sous son maillot et fait semblant d'accoucher avec l'aide d'autres joueurs, un hommage à sa femme enceinte, l'actrice de télévision Ilary Blassi.

⭐ SILVANO TOTI GLOBE THEATRE *Théâtre*
☎ 06 205 91 27 ;
www.globetheatreroma.com ; Largo Aqua Felix ; 🚇 Piazzale Brasile
On peut désormais écouter les serments d'amour de Roméo et Juliette dans leur langue d'origine grâce à cette réplique du Globe Theatre de Londres, qui programme une saison shakespearienne en italien de juin à septembre. Horaires des représentations et de la billetterie sur le site web.

⭐ STADIO OLIMPICO *Stade*
☎ 06 3 68 51 ; Viale del Foro Italico ; 🚇 Ottaviano-San Pietro et 🚌 32
Les matchs de foot du week-end au Stade olympique sont emblématiques de Rome. De septembre à mars, venez encourager ou huer l'une des deux

équipes de la ville, l'AS Roma et la SS Lazio. Les billets (15-65 €) sont vendus sur le site www.listicket.it et dans les nombreuses boutiques des clubs. Apportez une pièce d'identité munie d'une photo, pour ne pas vous voir refuser l'accès.

⭐ TEATRO OLIMPICO
Musique live
☎ 06 320 17 52 ; www.teatroolimpico. it en italien ; Piazza Gentile da Fabriano 17 ; 🚇 Viale del Vignola
Si la saison de musique de chambre de l'**Accademia Filarmonica Romana** (www.filarmonicaromana.org en italien) constitue l'attraction majeure, le théâtre olympique de Rome accueille parfois des spectacles plus actuels, qu'il s'agisse des danseurs de Stomp ou du chorégraphe de Hollywood Daniel Ezralow. Calendrier sur le site web.

>ZOOM SUR...

Intriguante, fascinante et souvent contradictoire, Rome mélange harmonieusement son passé prestigieux à une architecture innovante, un art des rues enthousiasmant et une cuisine fusion enchanteresse. Ces pages vous permettront de découvrir et d'apprécier ses multiples facettes.

Heure de pointe sur la Via del Corso, Tridente

ARCHITECTURE

Pour les mordus d'architecture, Rome représente un véritable éblouissement car trois mille ans d'architecture s'y superposent : un théâtre romain surmonté d'un palais Renaissance dans l'Area Archeologica del Teatro di Marcello e del Portico d'Ottavia (p. 51) ; la Basilica di San Clemente du XIIe siècle édifiée sur une église paléochrétienne du IVe siècle (p. 118) ; des colonnes antiques ornant la nef romane de la Basilica di Santa Maria in Trastevere (p. 147), pour ne citer que quelques exemples.

Les styles s'entremêlent avec bonheur, qu'il s'agisse de la rencontre entre Renaissance et baroque dans la Chiesa del Gesù (p. 51), entre faux maniérisme et Liberty dans le Quartiere Coppodè (p. 180) ou entre l'esthétique fasciste et celle de la Rome antique dans le Palazzo della Civiltà del Lavoro (p. 142).

Heureusement, Rome a cessé de se reposer sur ses lauriers en matière d'architecture. De nouveaux bâtiments dessinés par de grands architectes internationaux ont ainsi récemment vu le jour : l'Italien Renzo Piano a conçu l'Auditorium Parco della Musica (p. 182), la Britannique Zaha Hadid a imaginé le MAXXI (p. 178), la Française Odile Decq a agrandi le MACRO (p. 178) installé dans une ancienne brasserie, et le New-Yorkais Richard Meier a donné une tournure moderniste au Museo dell'Ara Pacis (p. 75). Parmi les projets à venir figurent la Cité des Sports/Université Tor Vergata en forme d'éventail de Santiago Calatrava, dans l'est de la ville, le réaménagement des *mercati generali* (marchés de gros) par Rem Koolhaas et le Palais des congrès "spatial" de Massimiliano Fuksas à l'EUR.

Certaines ruines romaines emblématiques étaient à leur époque des modèles de modernité : les immenses thermes de Caracalla (p. 133) étaient le prototype des établissements de bains ; les marchés de Trajan (p. 45) rassemblaient 150 échoppes, tavernes et bureaux ; le Colisée (p. 44) comportait un système de poulies complexe pour descendre les fauves dans l'arène. Quant au Panthéon (p. 58), monument le mieux conservé de la Rome antique, il abrite la plus grande coupole jamais réalisée jusqu'au XXᵉ siècle.

Si la Renaissance a donné à la cité des joyaux comme la basilique Saint-Pierre et son dôme conçu par Michel-Ange (p. 163) ou le Tempietto de Bramante (p. 150), l'âge d'or est venu aux XVIIᵉ et XVIIIᵉ siècles. La période baroque a en effet remodelé le centre historique de manière théâtrale avec des chefs-d'œuvre à l'image de la flamboyante Fontana dei Quattro Fiumi du Bernin, sur la Piazza Navona (p. 58), la Chiesa di San Carlo alle Quattro Fontane (p. 86) de Borromini à la conception révolutionnaire et la fontaine de Trevi ô combien photogénique de Nicola Salvi (p. 88).

En haut à gauche. Un alignement de statues solennelles conduit à la basilique Saint-Pierre (p. 163)

ZOOM SUR...

APERITIVO

Rejoignez les bars de la capitale (et quelques restaurants) entre 18h30 et 21h30 pour profiter des buffets proposés pour l'apéritif où se côtoient beignets de morue croustillants, feuilletés aux olives, bouchées de *frittata*, salades somptueuses, mini *bruschette* et taboulé relevé.

Bienvenue au happy hour à l'italienne. La vogue a débuté dans les villes du nord du pays, Milan et Turin, avant de devenir un rituel partagé par les jeunes Romains, qui ont bien raison d'en profiter. Ces buffets sont souvent gratuits lorsqu'on commande un verre ou coûte une somme fixe. Les mois d'été, la clientèle des bars se répand dans la rue pour siroter un Negroni (gin, Campari et vermouth) en grignotant des *crostini* et autres petits plats.

En dehors des amuse-bouches, certaines adresses offre une nourriture plus consistante telle que pâtes et risotto. On peut ainsi dîner copieusement pour moins de 10 €. Ne manquez pas les buffets à thème branchés du Fluid (p. 67), les festins arabo-méditerranéens de Freni e Frizioni (p. 159) ou de la Société Lutèce (p. 68). Les adeptes du glamour essaieront Crudo (p. 67), Doppiozeroo (p. 142), Ferrara (p. 158) et Obikà (p. 65). Toujours éclectique, Micca (p. 105) combine *aperitivo* et marché aux puces vintage le dimanche. Sachez toutefois que si vous succombez à la tentation de remplir votre assiette à ras bord, vous courrez le risque de passer pour un goinfre sans éducation. Il est donc conseillé de s'empiffrer *discrètement*.

Ci-dessus. Apéritif glamour chez Crudo (p. 67), dans le centre historique

ART CONTEMPORAIN

La scène d'art contemporain romaine est en perpétuelle expansion. Deux grandes foires spécialisées ont ainsi vu le jour en 2008, Road to Contemporary Art (www.romacontemporary.it) et Arte Contemporanea Moderna Roma (www.artecontemporaneamodernaroma.it), tandis que le MACRO (p. 178) se porte mieux que jamais après son agrandissement. Des galeries privées fleurissent dans le centre historique, le Tridente et le Trastevere, où la créativité actuelle se manifeste partout. À l'instar du Pastificio Cerere (voir l'encadré p. 108), pépinière de talents installée dans une ex-fabrique de pâtes, elles occupent des locaux variés, de l'ancienne trattoria à la verrerie.

Les sites archéologiques ne sont pas en reste : les Mercati di Traiano et le Museo dei Fori Imperiali (p. 45) ont récemment accueilli des œuvres du sculpteur japonais Kan Yasuda ; le Circo Massimo (p. 43) a été transformé par Giancarlo Neri en un océan d'ampoules lumineuses à l'occasion de la Nuit blanche de 2007 (p. 24) ; le Palazzo delle Esposizioni (p. 97) expose aussi bien des peintures de Mark Rothko que des installations vidéo de Bill Viola.

Pour obtenir des informations à jour sur les manifestations en ville, procurez-vous un exemplaire d'*Arte e Roma* ou d'*Art/Guide* dans une galerie ou sur le site www.artguide.it (en italien).

L'art urbain prospère également, peintures au pochoir, affiches et graffitis couvrant les murs de la ville et les passages souterrains de la ligne B du métro. Pour en avoir un aperçu, il suffit de flâner dans les rues de San Lorenzo, du Pigneto et d'Ostiense, ainsi que le long du Tibre. Les œuvres incroyablement détaillées de Sten (www.myspace.com/sten_roma), roi du pochoir et coproducteur de l'exposition annuelle International Poster Art (dates sur le blog), font partie des exemples marquants. Les sites web en italien www.visionet-art.blogspot.com et www.rubinetto.blogspot.com sont consacrés à l'art de rue.

LE MEILLEUR DE L'ART MODERNE
> MACRO (p. 178)
> Palazzo delle Esposizioni (p. 97)
> MACRO Future (p. 132)
> Galleria Nazionale d'Arte Moderna (p. 175)
> MAXXI (p. 178)

LE MEILLEUR DU RESTE
> Pastificio Cerere (p. 108)
> Museo Carlo Bilotti (p. 179)
> Galleria Lorcan O'Neill (p. 150)
> Fondazione Volume! (p. 150)
> FotoGrafia (p. 26)

SHOPPING

À Rome, boutiques authentiques dissimulées au détour des ruelles médiévales et chaînes commerciales coexistent, comme le confirme une rapide promenade dans la Via del Corso (carte p. 73, A2). Vous pourrez acheter des articles aussi différents que les produits monastiques de l'enseigne Ai Monasteri (p. 59), un vieux cru du Latium chez Trimani (p. 104) et l'un des kimonos destructurés d'Antichi Kimono (p. 59).

Les amateurs d'antiquités chineront Via Margutta (carte p. 73, B3), Via Giulia (carte p52–53, B5), Via dei Banchi Vecchi (carte p. 52–3, B4) ou Via dei Coronari (carte p. 52–53, B3), réputée pour sa foire aux antiquaires (p. 29).

Vous trouverez des bijoux de styles variés chez Tempi Moderni (p. 62), dans la Via del Pellegrino (carte p. 52–53, C5), chez Fabio Piccioni (p. 97) et à La Grande Officina (p. 109). Le quartier de San Lorenzo abrite des créations artisanales, des sacs surréalistes de Claudio Sanó (p. 109) aux céramiques méditerranéo-japonaises de Terre di AT (p. 109), en passant par les barres de chocolat Grué de B-Said (p. 110). Si vous aimez les sucreries, rendez-vous dans le centre à la Confetteria Moriondo & Gariglio (p. 61). Ses boîtes cadeaux rouge et bleu furent conçues à l'origine pour célébrer les fiançailles et le mariage du dernier roi d'Italie Umberto II avec Marie-José de Belgique en 1930. Les gourmets peuvent également faire le plein à l'épicerie fine Volpetti (p. 136), au Spazio Bio de la Città dell'Altra Economia (p. 134), chez Castroni (p. 169) ou chez Buccone (p. 77).

Si vous avez l'intention de faire tourner les têtes de retour à la maison, une visite dans quelques boutiques de mode innovants s'impose. Bien que notoirement éclipsée par Milan, sa voisine du Nord glamour et branchée où l'industrie de la mode constitue une activité majeure, Rome ne démérite pas. En 2007, Valentino a abandonné Paris au profit de la capitale italienne pour célébrer le 45e anniversaire de sa marque, rappelant que dans les années 1950-1960, la ville était la reine du style. À l'époque, des stars hollywoodiennes comme Audrey Hepburn et Ava Gardner se ruaient dans les ateliers de couture romains, dont celui des Sorelle Fontana. Ces dernières imaginèrent notamment la robe portée par Anita Ekberg dans *La Dolce Vita* de Fellini lors de la fameuse scène de la fontaine de Trevi.

La Via dei Condotti (carte p. 73, B4) et les rues alentour rassemblent toujours les grands noms de la mode, ainsi que des marques connues des initiés telles qu'Elio Ferraro (p. 77), My Cup of Tea (p. 78) et Bomba (p. 76).

Et tandis que les accros aux marques traquent le rabais dans le magasin Outlet Gente (p. 169), de l'autre côté du Tibre, ceux qui préfèrent l'originalité passent outre la Via del Corso et la Via Nazionale (carte p. 93, A2) au profit de la Via del Governo Vecchio (carte p. 52–53, B4), dans le centre historique. Celle-ci renferme Arsenale (p. 60) et un tas de petits bijoux actuels ou rétro. Les hommes auront l'embarras du choix dans les rues de Monti, où les boutiques unisexe Super (p. 99), Contesta Rock Hair (p. 97) et Le Gallinelle (p. 98) compensent le penchant des Romains pour le BCBG ou le clinquant trash avec des vêtements rafraîchissants.

The Hysterics! Independent Fashion Show (www.myspace.com/thehystericsfashionshow en italien), qui se déroule plusieurs fois par an au Circolo degli Artisti (p. 112), permet de découvrir les nouveaux talents de la mode romaine la plus expérimentale.

En matière d'achat, le mieux consiste à venir durant les soldes (*saldi*), de début janvier à mi-février et de juillet à début septembre. Pour les horaires d'ouverture, voir *Carnet pratique* (p. 211).

LE MEILLEUR POUR...

> remplir le garde-manger : Castroni (p. 169)
> s'offrir un sac de ville : Temporary Love (p. 154)
> sentir bon : Roma-Store (p. 153)
> tout : Claudio Sanò (p. 109)
> marchander : Porta Portese (p. 153)

LES MEIILEURES ADRESSES DE SOUVENIRS

> Alinari (p. 76)
> Nardecchia (p. 62)
> Retro (p. 62)
> Bookàbar (p. 97)
> Le Terre di AT (p. 109)

Ci-dessus. Les amoureux de la mode arpentent la Via dei Condotti, Tridente

MUSÉES

Les musées de Rome sont impressionnants. L'ampleur et la richesse des trésors culturels de la ville ont presque tendance à submerger le visiteur. Les collections vont de la civilisation étrusque présentée au Museo Nazionale Etrusco di Villa Giulia (p. 179) aux armes de mafieux du Museo Criminologico (p. 56), sans oublier les écrits romantiques des poètes anglais dans la maison Keats-Shelley (p. 74). Pour couronner le tout, le ministère italien de la Culture a récemment réclamé bon nombre de pièces antiques jadis pillées et vendues à des institutions internationales comme le Getty Museum de Los Angeles, le Metropolitan Museum de New York et le Princeton University Art Museum. Le patrimoine artistique italien est en réalité d'une telle importance que l'État a dû organiser un téléthon de trois jours en 2007 pour lever les 3 millions d'euros nécessaires à son entretien.

En tête de liste figurent les célèbres galerie Borghèse (p. 179), musées du Vatican (p. 168) et musées du Capitole (p. 42), qui regorgent de sculptures, de fresques et autres chefs-d'œuvre Renaissance et baroques. L'émerveillement continue avec la Galleria Nazionale d'Arte Antica (p. 87), dans le Palazzo Barberini, dont les multiples salles exposent des maîtres comme Guido Reni, le Caravage et le Bernin, ainsi que le fameux portrait d'Henri VIII d'Angleterre par Holbein.

Tout aussi fascinantes, la Galleria Doria Pamphilj (p. 55) et la Galleria Colonna (p. 88), dans des appartements aristocratiques, montrent des toiles de Velázquez ou du Guerchin. Signalons encore la Villa Farnesina recouverte de fresques (p. 151) et son voisin le Palazzo Corsini (p. 151), ancien palais de la reine Christine de Suède, qui rassemble notamment des tableaux de Van Dyck, Rubens et Fra Angelico.

Il va sans dire que les antiquités abondent. On peut ainsi admirer au Palatin (p. 46) l'*Erma di Canefora*, un bronze du Ier siècle, ou les somptueuses mosaïques romaines du Museo Nazionale Romano, dans le Palazzo Massimo alle Terme (p. 96). Les Catacombe de Priscilla (p. 175) arborent des fresques souterraines, tandis que des sculptures antiques trônent sous les plafonds peints du Museo Nazionale Romano installé dans le Palazzo Altemps (p. 57). La Centrale Montemartini (p. 140), ancienne centrale électrique, offre un fort contraste en exposant bustes, mosaïques et sarcophages romains au milieu des machines. Initialement lieu de stockage temporaire des musées du Capitole, elle fait désormais partie des lieux d'exposition les plus pittoresques.

Certains trésors sont moins connus, comme le Museo Nazionale d'Arte Orientale (p. 95) et sa collection extrême-orientale, l'original Museo delle Arti e Tradizioni Popolari (p. 141) et la petite Raccolta Teatrale del Burcardo (p. 51) consacrée au théâtre et assortie d'une bibliothèque.

Les cartes de réduction (voir p. 214) facilitent la visite de plusieurs musées et sites. Les moins de 18 ans et les plus de 65 ans bénéficient souvent de la gratuité. Il y a souvent des réductions pour les citoyens de l'UE entre 18 et 25 ans, les professeurs et les journalistes munis d'une pièce d'identité avec photo attestant de leur activité. Certains musées sont gratuits pour les Parisiens : munissez-vous d'une attestation de domicile pour en profiter.

Attention, de nombreux lieux cessent la vente de billets jusqu'à 1 heure 15 avant l'heure de fermeture. Pour le Museo e Galleria Borghese et la Domus Aurea (p. 95), il faut acheter son billet à l'avance. Plusieurs autres musées et sites permettent de réserver moyennant 1-2 € via **Pierreci** (☎ 06 399 67 700 ; www.pierreci.it) ou **Ticketeria** (☎ 06 32 810 ; www.ticketeria.it), mais cela est rarement indispensable. NB : les musées nationaux ferment le lundi.

LES PLUS BELLES COLLECTIONS ANTIQUES

> Musées du Capitole (p. 42)
> Musées du Vatican (p. 168)
> Museo Nazionale Romano : Palazzo Massimo alle Terme (p. 96)
> Museo Nazionale Romano : Palazzo Altemps (p. 57)
> Museo Nazionale Etrusco di Villa Giulia (p. 179)

LES PLUS BEAUX SITES ANTIQUES

> Palatin (p. 46)
> Colisée (p. 44)
> Mercati di Traiano et Museo dei Fori Imperiali (p. 45)
> Thermes de Caracalla (p. 133)
> Fouilles archéologiques d'Ostia Antica (p. 143)

LE MIEUX POUR...

> les surprises souterraines : Basilica e Catacombe di San Sebastiano (p. 126)
> le contraste passé/présent : Centrale Montemartini (p. 140)
> les chefs-d'œuvre de la Renaissance et du baroque : Museo e Galleria Borghese (p. 179)
> les splendeurs de l'Extrême-Orient : Museo Nazionale d'Arte Orientale (p. 95)
> l'art moderne italien : Galleria Nazionale d'Arte Moderna (p. 175)

LE MEILLEUR POUR LES ENFANTS

> Explora – Museo dei Bambini di Roma (p. 175)
> Museo della Civiltà Romana (p. 141)
> Museo delle Arti e Tradizioni Popolari (p. 141)
> Cimetière des Capucins (p. 86)
> Catacombe di San Callisto (p. 126)

CUISINE

À Rome, les papilles sont à la fête. Même un simple en-cas peut tourner à la révélation, qu'il s'agisse d'une part de pizza artisanale achetée chez Pizzarium (p. 171) ou d'une glace aromatisée au whisky provenant d'Il Gelato di San Crispino (p. 91). Le secret réside dans le souci constant d'utiliser les meilleurs ingrédients et des produits frais de saison. L'offre du marché matinal détermine le menu du jour. La région du Latium constitue le véritable garde-manger de la ville, approvisionnant les étals en toutes sortes de vivres, des artichauts charnus en hiver aux figues succulentes en été.

La cuisine romaine est avant tout rustique et terrienne, avec des plats paysans comme le *baccalà* (morue salée) et le *guanciale* (joue de porc), et influencée par les régions voisines, Abruzzes, Molise et Toscane. C'est la patrie des *spaghetti alla carbonara* (œuf, *pecorino* et *guanciale*) et des *bucatini all'amatriciana* (pâtes à la sauce tomate pimentée avec de la pancetta), ainsi que des classiques comme la *pasta con ceci* (pâtes aux pois chiches), les *spaghetti alla grigia* (au *pecorino* piquant, à la pancetta et au poivre noir) et la *stracciatella* (bouillon de poule avec des œufs battus et du parmesan). On peut également déguster des spécialités juives en friture, notamment les *fiori di zucca* (fleurs de courgettes) farcis à la mozzarella et aux anchois ou encore les *carciofi alla giudia* (artichauts à la juive). Enfin, Rome est réputée pour ses abats, une tradition qui date de l'époque où elle possédait des abattoirs (voir p. 17).

Le vieux patrimoine culinaire, resté vivace, s'enrichit toutefois de la créativité de certains chefs. Cela donne des mets comme la morue en croûte de sésame sauce vanille ou le beignet de cervelle servi avec une *caponata* (aubergines froides marinées) et une sauce fumée à l'ail. Deux des plus grandes toques italiennes d'aujourd'hui sont Francesco Apreda de l'Imàgo (p. 81) et Cristina Bowerman de la Glass Hostaria (p. 156), emblèmes de la cuisine fusion romaine. Avec d'autres tables comme Obikà (p. 65), Momma (p. 91) et Settembrini (p. 171), leurs établissements démentent l'idée que les restaurants branchés sont plus esthétiques que bons.

Cela ne veut pas dire que la modeste *trattoria* ou *osteria* aux nappes à carreaux soit en voie de disparition. Les Romains savent trop bien que les repas les plus savoureux sont souvent les moins chers, apportés par des serveurs bourrus dans un cadre ringard où de vieux cuisiniers peaufinent leur répertoire depuis des décennies.

Pour faire comme les Italiens, avalez un cappuccino et un *cornetto* (croissant italien) dans un bar au petit-déjeuner (*colazione*), puis prenez votre temps à l'heure du déjeuner (*pranzo*), généralement vers 13h30. Celui-ci étant le principal repas de la journée, nombre de petits commerces ferment alors durant plusieurs heures. Le dîner (*cena*) est d'ordinaire plus léger, mais les horaires de travail exigeants inversent peu à peu les choses. Et si la plupart des restaurants ouvrent vers 19h30, les Romains ne s'attablent souvent pas avant 20h30 ou 21h. Mieux vaut toujours réserver un jour à l'avance, deux le week-end, dans les endroits courus. C'est impératif pour Colline Emiliane (p. 90), L'Altro Mastai (p. 65), Agata e Romeo (p. 101) et Imàgo. Beaucoup de restaurants ferment au moins une semaine en août ; téléphonez pour vérifier.

Un repas italien complet comprend *antipasto* (hors-d'œuvre), *primo piatto* (entrée), *secondo piatto* (plat de résistance) avec *insalata* (salade) ou *contorno* (garniture de légumes), *dolci* (dessert), fruit, café et *digestivo*. Vous ne choquerez toutefois personne en commandant un *primo* suivi, par exemple, d'une salade, car les autochtones font fréquemment de même. Les végétariens apprécieront le choix étendu d'antipasti, pâtes, pizzas, salades et garnitures. Dans le doute, demandez si le plat est *senza carne o pesce* (sans viande ni poisson). Sinon, optez pour Arancia Blu (p. 110) et Margutta RistorArte (p. 81).

LES MEILLEURS RESTAURANTS BRANCHÉS

> L'Altro Mastai (p. 65)
> Il Convivio Troiano (p. 65)
> Imàgo (p. 81)
> Glass Hostaria (p. 156)
> Uno e Bino (p. 111)

LE MEILLEUR POUR...

> une pizza : Da Baffetto (p. 63)
> un apéritif copieux : Frenie Frizioni (p. 159)
> un repas végétarien : Arancia Blu (p. 110)
> une glace : Il Gelato di San Crispino (p. 91)
> l'authenticité : Da Augusto (p. 155)

Ci-dessus. Le marché du Campo dei Fiori (p. 51) approvisionne les grands chefs comme la ménagère.

LE ROME GAY ET LESBIEN

Les gays romains s'affichent de plus en plus ouvertement. La course aux élections municipales de 2008 a vu la participation d'un militant pour les droits des homosexuels, Franco Grillini, dont le rival Francesco Rutelli proposait la création d'un centre culturel gay international. Des affiches annoncent la grande fête estivale Gay Village (voir p. 29), les lieux mélangés sont tendance et la ville accueille le premier député transexuel en Europe, Vladimir Luxuria.

Mais le gouvernement italien refuse encore de reconnaître le mariage entre deux personnes du même sexe, le Vatican reste très hostile envers l'homosexualité et deux hommes ont été arrêtés en 2007 parce qu'ils s'embrassaient devant le Colisée. Les doubles vies restent monnaie courante : on assume sa différence avec ses amis, mais la *mamma* ignore tout.

Vous trouverez à l'excellente Libreria Babele (p. 215), une librairie GLBT (gay, lesbienne, bisexuelle et transexuelle) des gratuits comme *AUT* (en italien) et le mensuel *Pride*. Le Circolo Mario Mieli di Cultura Omosessuale (p. 215) propose des projections de films et des soirées à la Muccassassina, ainsi que *Gay Map of Rome*, un plan pratique disponible gratuitement dans les lieux spécialisés de la ville. Rome compte trois saunas, le meilleur et le plus propre étant l'Europa Multiclub (p. 215). Les saunas ainsi que plusieurs clubs demandent à leurs clients d'avoir la carte Arcigay Uno Club Card émise sur place.

Ci-dessus. Des participants à la Gay Pride romaine.

CENTRI SOCIALI

Pour rien au monde vous ne mettriez les pieds dans un squat ? Pensez-y à deux fois car ceux de Rome ont troqué le côté glauque pour l'art. Ces *centri sociali* ("centres sociaux") sont des foyers de la contre-culture initiés dans les années 1970, quand les anticonformistes voulaient avoir leurs propres espaces pour jouer de la musique punk, organiser des mouvements de protestation ou juste traîner. Dans les années 1980, ils ont donné naissance à la scène hip-hop et rap italienne grâce à des groupes politisés tels qu'Assalti Frontali et Onda Rossa Posse, qui ont débuté dans des lieux comme le légendaire Forte Prenestino (voir l'encadré p. 113).

Si les premiers temps, la police harcelait régulièrement les occupants, la plupart des *centri sociali* existent désormais depuis assez longtemps pour être acceptés par l'establishment. Brancaleone (voir l'encadré p. 113) reçoit certains des meilleurs DJ internationaux, le Villaggio Globale (p. 137) a attiré Weasal Buster Tribes et Massive Attack et Rialtosantambrogio (p. 70), dans le centre, a présenté le travail de l'artiste londonienne Aisling Hedgecock.

Malgré leur tendance à rentrer dans le rang, ces endroits "grunge" proposent ce que la capitale italienne fait de plus alternatif, et souvent de moins cher, en termes de divertissement. Chaque nuit, vous pourrez ainsi aller écouter des poèmes de Charles Bukowski, assister à un défilé de mode underground ou vous déhancher sur les rythmes de la Française DJ Miss Kittin. Ces salles sont aussi les seules à braver ouvertement l'interdiction de fumer en vigueur en Italie. Pour connaître le programme, consultez le site web de chaque centre ou la rubrique culturelle du quotidien *La Repubblica*.

Ci-dessus. Dans les anciens abattoirs, le Villagio Globale (p. 137) reçoit des groupes connus de rock indie et de hip-hop.

FOOTBALL

Plus que la basilique Saint-Pierre, le Stadio Olimpico (p. 183) est le véritable lieu de culte de Rome. De septembre à mai, les fidèles affluent dans le stade pour vénérer les dieux du ballon rond avec une ferveur quasi biblique. En Italie, le football vire à l'obsession. Lorsque l'équipe nationale a remporté la Coupe du Monde en 2006, 500 000 personnes ont investi le Circo Massimo pour voir le capitaine Fabio brandir le trophée.

Cette victoire a redonné la foi aux Italiens, ébranlés quelques mois auparavant par le scandale des matchs truqués impliquant Luciano Moggi, le directeur général de la Juventus de Turin. Puis, en 2007, eut lieu une vague d'affrontements ayant entraîné le renforcement des mesures de sécurité, (billets nominatifs et contrôles d'identité à l'entrée des stades).

En termes de loyauté, Rome est partagée par ses deux équipes de première division : la Lazio (*biancazzuri*, blanc et bleu ; www.sslazio.it en italien) et l'AS Roma (*giallorossi*, jaune et rouge ; www.asroma.it en italien). Les *tifosi* de la Lazio ont une triste réputation de racisme et de sympathie envers l'extrême-droite, mais les *romanisti* (supporters de la Roma) célèbrent leurs racines populaires et judéo-romaines, et le célèbre capitaine de l'équipe Francesco Totti (voir l'encadré p. 183). Le joueur le mieux payé d'Italie et sa technique de lob surnommée *er cucchiaio* (la cuillère) en dialecte romain sont élevés au rang de mythe. Pour l'encourager, rejoignez les *romanisti* installés dans la *curva sud* (tribune sud) du Stade olympique. Pour le conspuer, mêlez-vous aux supporters de la Lazio dans la *curva nord* (tribune nord).

Ci-dessus. Supporters de l'AS Roma au Stadio Olimpico (p. 183)

>HIER ET AUJOURD'HUI

Face-à-face avec l'empereur Constantin aux musées du Capitole (p. 42)

HIER ET AUJOURD'HUI

HISTOIRE

ROMULUS ET REMUS

Selon la légende, Romulus et Remus naquirent de la rencontre entre la vestale Rhea Silvia et Mars, dieu de la Guerre. Abandonnés sur le Tibre pour échapper au roi Amulius, les jumeaux furent recueillis sur la face nord-ouest du Palatin (p. 46) par une louve qui les allaita, puis par un berger. Remus, d'un naturel turbulent, fut capturé par Amulius. Son frère le libéra et tua le roi, ouvrant ainsi la voie à la fondation de leur propre ville. L'entente fraternelle fut de courte durée. Les jumeaux s'opposèrent sur les limites de la nouvelle cité. Romulus finit par tuer son frère et s'attribua le mérite de la fondation de Rome le 21 avril 753 av. J.-C.

La plupart des historiens défendent une théorie plus prosaïque de la naissance de la cité, qui serait le fruit de peuplements étrusque, latin et sabin sur les monts Palatin, Esquilin et Quirinal.

NAISSANCE ET CHUTE D'UN EMPIRE

En 509 av. J.-C., la déposition de Tarquin le Superbe, septième et dernier roi des Étrusques, marqua la naissance de la République romaine. Pour remplacer la royauté, le Sénat fut compode conquêtes. L'influence de Rome s'étendit, les Étrusques furent assimilés et les tribus voisines devinrent alliées. La voie Appienne (Via Appia Antica ; p. 22) devint la première voie express de Rome et un port prospère fut établi à Ossé d'aînés des grandes familles, partisans d'une politique de divisions et tia (voir encadré, p. 143) en 380 av. J.-C. pour alimenter la ville grandissante. Après avoir bouté les Grecs hors de l'Italie du Sud en 272 av. J.-C. et vaincu Carthage lors des guerres puniques (264-146 av. J.-C.), Rome devint la superpuissance de la Méditerranée.

Jules César, dont la puissance militaire allait croissant, défia la loi romaine en franchissant le Rubicon pour s'emparer de Rome en 49 av. J.-C. Cinq ans plus tard, il était assassiné près du Largo di Torre Argentina (carte p. 52, E5). Après presque 20 ans de guerre civile, son petit-neveu, Octave (dit ensuite Auguste ; r. 27 av. J.-C.-14 ap. J.-C.), ayant triomphé de Marc Antoine et de son alliée Cléopâtre, devint le premier empereur de Rome. Il inaugura une période de stabilité et de prospérité. Des poètes comme Virgile, Ovide, Horace et Tibulle contribuèrent au prestige culturel de la cité. Des monuments furent restaurés. D'autres, comme l'autel de la Paix (Ara Pacis Augustae p. 75), virent le jour. L'empereur aurait dit de Rome : "Je l'ai trouvée de brique, je l'ai laissée de marbre."

Si Auguste établit de nouveaux standards esthétiques, ses successeurs se distinguèrent par leur dépravation. Tibère (r. 14-37) précipitait ses ennemis du haut des falaises de Capri, Caligula (r. 37-41) se parait comme les divinités et Néron (r. 54-68) attribua la responsabilité du grand incendie de 64 aux chrétiens, qui furent persécutés par milliers, à l'image de saint Pierre et saint Paul. Les règnes de Trajan (r. 98-117) et d'Hadrien (r. 117-138) furent marqués par une pratique du pouvoir plus saine, mais le répit fut de courte durée – les invasions barbares conduisirent l'empereur Aurélien (r. 270-275) à bâtir le mur qui porte son nom, tandis que l'abdication simultanée de Maximien et de Dioclétien en 305 laissa le vaste empire dans les mains de Galère à l'est et de Constance à l'ouest. Inspiré par une vision de la Croix, le fils de Constance, Constantin (r. 306-337), vainquit son rival Maxence au pont Milvius (Ponte Milvio ; p. 179) en 312. Il devint le premier dirigeant chrétien de Rome et fit ériger la première basilique chrétienne de la ville, Saint-Jean-de-Latran (p. 118). En 330, avec le transfert de la capitale à Byzance (actuelle Istanbul), Rome perdit son statut de *caput mundi* (capitale du monde).

DU MOYEN-ÂGE AU XVIIIᵉ SIÈCLE

Au VIᵉ siècle, la ville était en ruines après les attaques des Barbares, des Goths et des Vandales. De 1,5 million d'habitants, la population était tombée à 80 000. Le pape Grégoire Iᵉʳ (r. 590-604) restaura les infrastructures, négocia avec les envahisseurs, fit ériger des basiliques et attira des pèlerins. En 800, après l'alliance du pape Léon III (r. 795-816) avec les Francs et le sacre de Charlemagne comme empereur d'Occident, Rome consolida sa place au centre du monde chrétien. La papauté devint une donnée essentielle pour les hommes politiques européens. De 1309 à 1379, les Français en prirent temporairement le contrôle et installèrent la cour des papes en Avignon. Quand le pape Grégoire XI revint à Rome en 1377, la ville était une fois de plus déchirée par les luttes entre de puissantes familles rivales, comme les Colonna et les Orsini.

La Renaissance inaugura la reconstruction de Rome. Aux XVᵉ et XVIᵉ siècles, d'ambitieux souverains pontifes chargèrent des artistes prestigieux de faire de la ville une grande capitale. Michel-Ange (1475-1564) réalisa les fresques de la chapelle Sixtine au Vatican (p. 167), Bramante (1445-1514) redessina la basilique Saint-Pierre (p. 163) et le Caravage (1571-1610) marqua l'église Saint-Louis-des-Français (p. 54) de ses clairs-obscurs.

La situation n'était pas pour autant idyllique. En 1527, les troupes de Charles Quint saccagèrent Rome et le pape Clément VII (r. 1523-1534) dut se réfugier au château Saint-Ange (p. 163). La papauté survécut et la construction de nouvelles églises somptueuses comme la Chiesa del Gesù (p. 51) ouvrit la voie à la Réforme engagée par Martin Luther.

En réponse à la Réforme protestante, la Contre-Réforme fut marquée par la persécution d'intellectuels et de libres-penseurs, dont Galilée (1564-1642) et le moine dominicain Giordano Bruno (1548-1600), qui périt sur le bûcher au Campo dei Fiori (p. 51). Le sort des juifs de Rome ne fut guère plus enviable sous le règne du pape Paul IV (1475-1559), qui les confina dans le Ghetto jusqu'à l'unification de l'Italie en 1870 par la bulle *Cum nimis absurdum.*

Après l'inquisition romaine, le XVIIe siècle marqua l'avènement du baroque. Des fontaines, églises et sculptures grandioses surgirent dans toute la ville, à l'image de la statue de la Bienheureuse Ludovica Albertoni réalisée par le Bernin pour la Chiesa di San Francesco d'Assisi a Ripa (p. 150) et de la Chiesa di San Carlo alle Quattro Fontane (p. 86), chef-d'œuvre de Borromini.

Au XVIIIe siècle, l'engouement pour l'époque classique fit de Rome une destination du Grand Tour. Des milliers d'Européens du Nord s'enthousiasmèrent pour ses ruines. Parmi eux figuraient les poètes Byron, Shelley et Keats, ainsi que Goethe, qui rédigea son *Voyage en Italie* dans la Ville éternelle en 1817. Tandis que Wagner prenait le thé au Caffè Greco (p. 82), les beaux jeunes gens se prélassaient sur l'escalier de la Trinité-des-Monts (p. 76) dans l'espoir d'être pris pour modèle par des artistes.

L'ÉPOQUE FASCISTE

Exploitant le chômage et la forte inflation qui suivirent la Première Guerre mondiale, Benito Mussolini (1883-1945), fervent socialiste devenu fasciste, parvint à prendre le contrôle total de l'Italie à la fin de l'année 1925. S'imaginant Auguste des temps modernes, le Duce (le Chef) entreprit de donner à Rome un nouveau visage. Il fit tracer la Via dei Fori Imperiali en plein cœur de la cité antique, ordonna la construction du vaste ensemble sportif du Foro Italico et développa en banlieue l'austère vitrine fasciste de l'EUR (p. 138). En 1929, il signa les accords du Latran, instituant le catholicisme comme religion d'État en Italie et reconnaissant à la cité du Vatican le statut d'État indépendant.

Vaincu par les Alliés, le dictateur fut fusillé en 1945. L'année suivante, la monarchie fut abolie par référendum et la famille royale italienne, contrainte à l'exil – elle fut autorisée à regagner le territoire national en 2002.

RENAISSANCES CONTEMPORAINES

La première scène de *La Dolce Vita* (1960) de Fellini illustre l'époque bénie que furent pour Rome la fin des années 1950 et les années 1960 – une époque marquée par l'expansion urbaine, l'enrichissement de la classe moyenne et un certain internationalisme. En 1957, la signature du Traité de Rome dans la Sala degli Orazi e Curiazi des musées du Capitole (p. 42) scella la fondation de la Communauté économique européenne. Trois ans plus tard, les Jeux olympiques étaient organisés au Stadio Olimpico (p. 183).

Les années 1970 et 1980, marquées par les révoltes ouvrières et estudiantines et par le terrorisme, connurent une croissance économique anéantie dans les années 1990 par la hausse du chômage, l'effondrement de la lire et les scandales de corruption au gouvernement.

Accoutumée aux renaissances, Rome se refit une beauté pour le jubilé de l'an 2000, prétexte à la restauration de monuments et de musées, et à la construction d'édifices ultramodernes. Cinq ans plus tard, pas moins de 4 millions de personnes affluèrent dans la capitale en une semaine pour pleurer Jean-Paul II.

VIE POLITIQUE

En février 2008, Walter Veltroni démissionna de son poste de maire de Rome pour conduire la liste du Parti démocrate (centre-gauche) aux élections législatives. Cette démission mit un terme à un mandat politique remarqué et très médiatisé.

Le goût pour les arts et les paillettes de Veltroni, passionné de jazz et de cinéma (on lui doit la voix italienne du maire Dindon Léon dans *Chicken Little*, 2005), a marqué sa mandature. Peu après son élection en 2001, 5 millions d'euros furent alloués à la Casa del Jazz (p. 145). En 2004, Veltroni inaugura la Casa del Cinema (p. 182), avant de convaincre Nicole Kidman de participer

QUELQUES IDÉES DE LECTURE

Complexe et contradictoire, Rome vaut son pesant de livres. Voici quelques ouvrages pour appréhender la ville plus en profondeur :

> *Histoire de Rome* de Pierre Grimal (Mille Et Une nuits, 2003) – excellente étude par un spécialiste, professeur de littérature latine.
> *Les Secrets de Rome* de Corrado Augias (éd. du Rocher, 2007) – l'histoire de la ville à travers une série d'anecdotes et de portraits, des origines à nos jours.
> *Histoire de la papauté*, collectif (Seuil, 2003) – le Saint-Siège et Rome sont indissociables.
> *Nouvelles romaines* (1954) d'Alberto Moravia – 61 nouvelles sur la lutte des travailleurs romains, par l'une des grandes plumes italiennes du XXᵉ siècle.
> *Imperium* de Robert Harris (Pocket, 2008) – le récit romancé de l'irrésistible ascension de Cicéron.

au lancement du Festival international de cinéma de Rome en 2006. L'année suivante, le champagne coula à flots pour les manifestations organisées à l'occasion des 45 ans de la maison de couture Valentino.

Si les supporters de Veltroni saluèrent ses efforts pour sortir Rome de sa torpeur, ses détracteurs l'accusèrent de faire des dépenses futiles au regard d'une détérioration urbaine croissante – un journal alla jusqu'à affirmer que Honda testait les amortisseurs de ses deux-roues dans les rues romaines.

La course pour le poste de nouveau maire de Rome opposa des candidats très différents, dont Serenetta Monti, professeur de kung-fu contestataire, Franco Grilli, socialiste et militant gay et Francesco Rutelli, prédécesseur de Veltroni, vice-président du Conseil des ministres sortant et candidat du Parti démocrate. Ce fut toutefois Gianni Alemanno, rival de droite de Rutelli et candidat d'Il Popolo della Libertà, qui remporta la course. Les critiques dénonçant ses racines néo-fascistes n'empêchèrent pas cet homme de 50 ans de gagner les élections avec 53,6% des votes en avril 2008, mettant ainsi fin à 15 années de domination de la gauche à Rome.

VIVRE À ROME

En décembre 2007, une étude de l'université de Cambridge présenta les Italiens comme le peuple le plus malheureux d'Europe de l'Ouest. Rares furent ceux qui s'en étonnèrent dans la Botte : en 1987, il existait une parité économique entre l'Italie et la Grande-Bretagne ; aujourd'hui, son PNB par habitant place l'Italie derrière l'Espagne. Au vu des performances économiques actuelles, elle devrait être dépassée par la Grèce d'ici à 2012.

Début 2008, l'échec d'un nouveau gouvernement de coalition ne fit rien pour améliorer le moral d'une population lassée des bureaucrates intéressés et enjôleurs. Si les salaires des travailleurs italiens comptent parmi les plus bas du continent, ceux des parlementaires, auxquels est attachée la plus grosse flotte de voitures avec chauffeur d'Europe, sont parmi les plus élevés.

De nombreux Romains déplorent la détérioration de leur fameux esprit de solidarité, sur fond de hausse des prix, de fragilisation des infrastructures, de circulation frénétique (avec pas moins de 400 000 scooters) et de pollution suffocante. Des loyers élevés incitent 70% des 20-30 ans à vivre chez leur mère. En 2007, une étude révéla la présence de cocaïne et de cannabis dans l'air de Rome. La même année, les habitants du Trastevere tendirent des draps blancs en signe de protestation contre les nuisances nocturnes provoquées par un nombre croissant de fêtards en état d'ébriété et facilitées par la permissivité des lois visant les touristes.

Grazie a Dio (Dieu merci), tout n'est pas si sombre. En 2005, fut inauguré à Rome le premier centre citoyen dédié aux migrations, au refuge et à l'intégration sociale et destiné à venir en aide aux communautés ethniques. Une troisième ligne de métro devrait traverser le centre historique en 2012 et un système de prêt de vélos a été expérimenté dans le centre début 2008. Les Romains recyclent davantage le papier que les Londoniens et l'ambitieux projet de renouveau urbain du conseil de la ville, le Piano Regolatore di Roma (PDR), prévoit la création de 100 000 logements, de 14 couloirs de transports et de 19 parcs, ainsi que la rénovation des banlieues sordides.

CINÉMA

L'incendie qui ravagea les studios Cinecittà de Rome en août 2007 n'est pas dénué de valeur symbolique. La destruction partielle de ce lieu qui fut jadis au cœur d'une industrie cinématographique locale florissante semble dénoncer l'état actuel du cinéma italien, sous-financé et peu inspirant. Lors du festival de Cannes de 2007, Quentin Tarantino alla jusqu'à affirmer : "Le nouveau cinéma italien est tout simplement déprimant. Tous les films italiens que j'ai vu récemment semblent identiques. Ils ne parlent que de garçons qui grandissent, de filles qui grandissent, ou de couples en crise, ou de vacances pour handicapés mentaux". Nombreux furent ceux qui se sentirent offensés. Parmi eux figurait Sophia Loren, qui répondit : "Comment ose-t-il parler du cinéma italien, alors qu'il ne sait rien du cinéma américain ?"

Toutefois, force est de constater que les films italiens récents sont bien loin des chefs-d'œuvre du néoréalisme comme *Rome, ville ouverte* (1945) de Roberto Rossellini et du *Voleur de bicyclette* (1948) de Vittorio de Sica, ou de l'audace de *Fellini- Roma* (1972) de Fellini. Rome compte certes des réalisateurs comme Nanni Moretti, Roberto Benigni et Ferzan Ozpetek, d'origine turque, mais elle n'a pas encore trouvé son Pedro Almodóvar.

Pour autant, la relève ne manque pas dans la Ville éternelle. On a notamment remarqué *L'Étrange Monsieur Peppino* (2002) de Matteo Garrone, effrayant et intrigant, *Private* (2006) de Saverio Costanzo et *Nuovomondo* (Golden Door ; 2006) d'Emanuele Crialese, épopée du Nouveau Monde saluée par la critique internationale.

> **TOP CINQ DES FILMS TOURNÉS À ROME**
> - *Le Voleur de bicyclette* (1948) de Vittorio de Sica
> - *Vacances romaines* (1953) de William Wyler
> - *La Dolce Vita* (1960) de Federico Fellini
> - *Journal intime* (2001) de Nanni Moretti
> - *Saturno Contro* (2007) de Ferzan Ozpetek

HÉBERGEMENT

De l'hôtel Art déco à l'appartement dessiné par Ferragamo, du couvent apaisant à la pension de grand-mère, tous les types d'hébergements coexistent à Rome. Avant de choisir un point de chute, considérez d'abord le quartier alentour.

Pour vivre pleinement l'expérience romaine, difficile de faire mieux que le *centro storico* (centre historique). Le cœur de la Ville éternelle abrite des monuments emblématiques comme la Piazza Navona et le Panthéon, un nombre incalculable de bars et de restaurants, ainsi que des lieux animés le soir comme le Campo dei Fiori. Cependant, loger au cœur de l'animation revient généralement plus cher et les rues sont bien plus bruyantes.

Aisément accessible à pied de l'autre côté du Tibre, le Trastevere se révèle formidable. Ses ruelles pavées abritent des couvents reconvertis et des hôtels minimalistes. Ceux qui aiment faire la fête se retrouvent dans ses nombreux bars, surtout l'été. Déconseillé, donc, si vous avez le sommeil léger. Le secteur de Prati constitue un bon compromis : juste au nord du Vatican, il est agréable, bien relié au centre historique et relativement calme la nuit.

L'élégant Tridente, paradis du shopping, regorge de boutiques de marque, de restaurants et d'hôtels fréquentés par les VIP. Si vous souhaitez résider non loin de l'action, optez pour la colline du Caelius. Immédiatement au sud du Colisée, l'endroit se situe à une courte marche des principaux sites antiques et regroupe un petit nombre de tables et bars sélects.

Coincée entre le périmètre antique et les destinations de clubbing du Testaccio et d'Ostiense, la zone riche et verdoyante de l'Aventin recèle essentiellement des hôtels haut de gamme, mais permet de profiter des deux univers.

À l'autre extrémité de la gamme, le quartier multiculturel et un peu louche de l'Esquilin regroupe la gare routière centrale, les bus desservant l'aéroport et le gros des auberges de jeunesse et pensions pour petits budgets. S'il ne s'agit certes pas du coin le plus idyllique (les femmes seules peuvent s'y sentir mal à l'aise après la tombée de la nuit), des embellissements ont eu lieu ces dernières années, tandis que la concurrence a contraint beaucoup d'établissements à améliorer leur standing. Il n'est donc pas impossible de dénicher une perle. L'emplacement s'avère en outre très pratique pour profiter de l'ambiance festive estudiantine de San Lorenzo et de l'atmosphère bobo de Pigneto.

En matière de tarifs, comptez grosso modo 40-150 € la double dans un une-étoile, 60-150 € dans un deux-étoiles, 80-300 € dans un trois-étoiles, 200-400 € dans un quatre-étoiles et à partir de 300 € dans un cinq-étoiles. Les étoiles renvoient uniquement aux équipements, non aux services, au confort ni au cadre. Réserver peut aussi être une bonne idée, en particulier d'avril à juin, en septembre-octobre ou à Noël. Demandez une *camera matrimoniale* si vous souhaitez un lit double, une *camera doppia* pour des lits jumeaux. La clim n'est pas du luxe en juillet-août, quand la ville cuit littéralement sous la chaleur.

Si vous arrivez sans avoir rien prévu, le **service de réservation hôtelière** (carte p. 93, C2 ; ☎ 06 699 10 00 ; ⏰ 7h-22h) de la Stazione Termini, dans le hall parallèle au quai 24, vous trouvera un hébergement moyennant 3 € de commission. Sinon, adressez-vous à l'office du tourisme Enjoy Rome (p. 217). Parmi les agences de B&B en ligne, citons www.b-b.rm.it, www.bbitalia.it et www.cross-pollinate.com. Enfin, le site www.ostellionline.org (en italien) donne des informations sur les auberges de jeunesse.

CAPITOLE, COLISÉE, PALATIN

HOTEL FORUM

☎ 06 679 24 46 ; www.hotelforumrome.com ; Via Tor de'Conti 25 ; s 145-240 €, d 220-340 € ; Ⓜ Cavour ; Ⓟ ✂

Vénérable institution, le Forum, avec son restaurant aménagé sur le toit, offre certains des plus beaux points de vue de la ville. À l'intérieur, antiquités et fauteuils en cuir dans le salon, lustres et personnel en cravate et queue de pie.

CENTRO STORICO

ALBERGO ABRUZZI

☎ 06 679 20 21 ; www.hotelabruzzi.it ; Piazza della Rotonda 69 ; s 130-155 €, d 175-195 € ; 🚌 ou 🚊 Largo di Torre Argentina ; ✂

Les chambres de cet hôtel trois-étoiles, situé juste en face du Panthéon, sont agréables et les propriétaires sympathiques. Seul bémol, le bruit : le double vitrage limite les dégâts mais n'espérez pas le silence absolu la nuit. Le petit-déjeuner est servi dans un café voisin.

HÉBERGEMENT

TRIDENTE
IL PALAZZETTO
☎ 06 699 34 10 00 ;
www.ilpalazzettoroma.com ; Vicolo del
Bottino 8 ; ch 275-396 € ; Ⓜ Spagna ; ⊠
Ce délicieux hôtel de charme
compte quatre chambres dotées
d'équipements modernes qui
se fondent avec discrétion dans
l'impeccable décoration de style
classique. Terrasse, bar à cocktails
et superbe restaurant au 5ᵉ étage.
Centre d'affaires et salle de sports.

CASA HOWARD
☎ 06 699 24 555 ; www.casahoward.
com ; Via Sistina 149 et Via Capo le
Case 18 ; s 150-210 € d 160-240 € ;
Ⓜ Spagna ; ⊠ ▯
Du rétro kitsch à l'oriental chic en
passant par les motifs fleuris, les
10 chambres de cet hôtel, réparties
dans deux maisons, ont chacune
un style unique. Certaines sont
un peu petites (notamment la
chambre chinoise), tandis que trois
des chambres de l'annexe de la Via
Capo le Case sont séparées de leur
sdb (peignoir et sandales fournis).
Les deux maisons sont pourvues de
hammams.

HOTEL SCALINATA DI SPAGNA
☎ 06 679 30 06 ; www.hotelscalinata.
com ; Piazza della Trinità dei Monti 17 ;
s 130-190 €, d 170-270 € ; Ⓜ Spagna ;
⊠ ▯

Simple et décontracté, cet
établissement idéalement placé
évoque un labyrinthe. Les chambres
sont petites et surannées et offrent
parfois un superbe panorama sur
la ville. Les espaces communs sont
minuscules, mais le fantastique
jardin sur le toit compense
largement cet inconvénient. Wi-Fi.

TREVI, QUIRINAL ET VIA VENETO
ALEPH
☎ 06 42 29 01 ; www.boscolohotels.
com ; Via di San Basilio 15 ; ch 300-700 € ;
Ⓜ Barberini ; ⊠ ▯
L'adresse incontournable pour les
fashionistas. Signé par le designer
Adam D Tihany, le décor éclectique,
où se mêlent marbre noir, cuir rouge
et statues de samouraïs grandeur
nature, évoque l'enfer ; les chambres,
dotées de meubles contemporains
et de superbes photos de ruines
romaines, figurant, elles, le paradis.
Service parfois un brin affecté.

DAPHNE INN
☎ 06 478 23 529 ; www.daphne-rome.
com ; Via di San Basilio 55 ; s 110-150 €,
d 130-200 €, s avec sdb commune 80-
100 €, d avec sdb commune 90-130 € ;
Ⓜ Barberini ; ✕ ⊠ ▯
L'un des meilleurs petits hôtels de
Rome. Le décor des chambres est
minimaliste et moderne et le mobilier

sobre. Le personnel est à l'écoute. Wi-Fi gratuit, planche et fer à repasser dans chaque chambre et savoureux petit déjeuner. En avril 2007, deux suites ont ouvert dans un bâtiment annexe, le **Trevi Daphne** (☎ 06 478 23 529 ; Via degli Avignonesi 20 ; s 100-130 €, d 130-200 €, ste 280-500 €).

MONTI ET ESQUILIN
THE BEEHIVE
☎ 06 447 04 553 ; www.the-beehive. com ; Via Marghera 8 ; dort 22 €, d avec sdb commune 70-80 € ; M Termini ; ▯ L'une des meilleures auberges de jeunesse de Rome a un charme fou : œuvres d'art aux murs, mobilier original et modulable, café végétarien et salle de yoga. Dortoirs mixtes (pour 8 personnes) impeccables et 6 chambres. Réservation indispensable. 3 appartements meublés (30 à 35 €/ pers) pouvant accueillir jusqu'à 10 personnes sont ouverts à la location.

CAELIUS ET LATRAN
HOTEL CAPO D'AFRICA
☎ 06 77 28 01 ; www.hotelcapodafrica. com ; Via Capo d'Africa 54 ; s 300 €, d 320-400 €, ste 540 € ; M Colosseo ; ✕ ⋈ ♿

Cet hôtel design et chic mais sans prétention à quelques pas du Colisée, dispose de chambres spacieuses et ensoleillées. Une charmante terrasse domine l'église médiévale de **Santi Quattro Coronati**. Salle de sport et personnel attentionné.

AVENTIN ET TESTACCIO
HOTEL VILLA S PIO
☎ 06 574 52 31 ; www.aventinohotels. com ; Via Melania 19 ; s 105-160 €, d 150-240 € ; ▭ Via Marmorata ; ℗ ✕ ♿
Excellente adresse pour échapper à la foule, le Villa S Pio est un hôtel élégant situé dans une zone résidentielle paisible. Les sites touristiques sont un peu éloignés mais les chambres sont spacieuses. Le petit-déjeuner est servi dans un jardin luxuriant. Certaines chambres sont accessibles aux personnes handicapées.

TRASTEVERE ET JANICULE
HOTEL SANTA MARIA
☎ 06 589 46 26 ; www.htlsantamaria. com ; Vicolo del Piede 2 ; s 150-180 €, d 165-220 € ; ▭ ou ▭ Piazza Sonnino ; ℗ ✕ ⋈ ▯ ♿

Véritable havre de paix, ce beau trois-étoiles est peut-être le meilleur hôtel du Trastevere. Dans un vaste cloître du XVIIᵉ siècle, 19 chambres ont été aménagées autour d'une romantique cour arborée où poussent des orangers et où ont été disposées des tables et des chaises. Tomettes, murs crème et couvre-lits raffinés décorent les chambres, dont émane une impression de sérénité. Service d'une qualité exceptionnelle.

CITÉ DU VATICAN ET PRATI

HOTEL LADY

☎ 06 324 21 12 ; www.hotelladyroma. it ; Via Germanico 198, 4ᵉ ét ; d 145 €, s avec sdb commune 60-80 €, d avec sdb commune 90-100 € ; Ⓜ Lepanto ; ✕ Douillette et conviviale, cette *pensione* traditionnelle propose des chambres plutôt petites, mais agrémentées de jolis meubles rustiques. Les chambres 4 et 6 sont les plus belles. Les sdb communes sont propres et modernes. Si vous parlez italien, le propriétaire et sa femme seront heureux de discuter un moment avec vous. Le petit-déjeuner (10 €) est servi dans leur élégant salon.

VILLA BORGHÈSE

GRAND HOTEL PARCO DEI PRINCIPI

☎ 06 85 44 21 ; www.parcodeiprincipi. com ; Via Frescobaldi 5 ; s/d 480/550 € ; 🚌 Via Giovanni Paisiello ; Ⓟ ✕ 🚷 Doté de la plus belle piscine extérieure du centre de Rome, cet hôtel de luxe se dresse non loin de la Villa Borghèse. Son style est des plus traditionnels. À l'étage, la terrasse du restaurant offre un point de vue imprenable sur la basilique Saint-Pierre.

CARNET PRATIQUE

TRANSPORTS
ARRIVÉE ET DÉPART
Avion

Rome est desservie par la plupart des grandes compagnies aériennes internationales, qui utilisent en majorité son principal aéroport, Leonardo da Vinci (Fiumicino). Les transporteurs à bas prix et les charters atterrissent le plus souvent à l'aéroport de Ciampino.

Depuis Paris, **Air France** (☎ 0820 820 820 ; www.airfrance.fr) propose un A/R Paris-Rome à partir de 200 € (2h10 de vol). Comptez au moins 105 € pour un vol **Easyjet** (www.easyjet.com) au départ d'Orly. Vous pouvez aussi partir de Beauvais avec **Ryanair** (www.ryanair.com) pour un vol régulier à partir de 150 €.

La compagnie nationale italienne, **Alitalia** (☎ 0820 315 315 depuis la France, ☎ 02 551 11 22 depuis la Belgique, ☎ 0848 848 016 depuis la Suisse ; www.alitalia.com), assure des vols pour Rome à partir de Paris (à partir de 215 €) et de plusieurs grandes villes françaises, de Bruxelles (à partir de 350 €) ou de Genève (environ 250 FS).

Vous pouvez également vous renseigner auprès de différents transporteurs, tels que **Nouvelles Frontières** (☎ 0 825 000 747, www. nouvelles-frontieres.fr) ou encore **Voyageurs du Monde** (☎ 0892 23 56 56, www.vdm.com).

Aéroport Leonardo da Vinci (Fiumicino)

L'**aéroport Leonardo da Vinci** (☎ 06 6 59 51 ; www.adr.it) se trouve à 30 km au sud-ouest du centre-ville. Il comporte trois terminaux : le Terminal A (vols intérieurs), le Terminal B (vols intérieurs et à destination des pays de l'espace Schengen) et le Terminal C (autres vols internationaux).

Le moyen le plus pratique de s'y rendre consiste à prendre le train. L'efficace Leonardo Express part du Quai 24 de la Stazione Termini (carte p. 93, D2) toutes les 30 minutes de 5h52 à 22h52. En sens inverse, le service fonctionne de 6h35 à 23h35. Le trajet dure 30 minutes et coûte 9,50 € l'aller simple (gratuit pour les moins de 12 ans).

Pour rejoindre la Stazione Termini depuis l'aéroport, ne montez pas dans les trains plus lents marqués "Orte" ou "Fara Sabina", qui s'arrêtent uniquement dans les gares de Trastevere, Ostiense et Tiburtina. Si vous devez rallier ces destinations, sachez qu'ils circulent toutes les 15 minutes (toutes les heures le dimanche et les jours fériés) de 5h57 à 23h27 (de 5h06 à 22h36 depuis Tiburtina). Comptez 30 minutes jusqu'à Ostiense, 45 minutes jusqu'à Tiburtina. Le billet (5,50 €) s'achète dans les automates du hall d'arrivée de l'aéroport et de la gare ferroviaire, au guichet et chez les buralistes (*tabacchi*).

De l'extérieur du hall des arrivées, les bus **Terravision** (☎ 06 659

58 646 ; www.terravision.eu) pour la Via Marsala, devant la Stazione Termini, démarrent à peu près toutes les 2 heures entre 8h30 et 20h30 (6h30 et 18h30 dans l'autre sens). On peut se procurer les billets (aller simple/aller-retour 7/12 €) en ligne, à bord ou auprès de l'**Agenzia 365** (☾ 8h-20h) à Termini.

De nuit, des bus Cotral (☎ 06 720 55 703 ; www.cotralspa.it) relient la Stazione Tiburtina à Fiumicino via la Stazione Termini. Ils quittent Tiburtina à 0h30, 1h15, 2h30 et 3h45, l'aéroport à 2h, 3h, 4h15 et 5h45. Les billets (aller simple 4,50 €) sont disponibles à bord. Notez que les gares de Termini et de Tiburtina s'avèrent peu sûres la nuit.

Si vous préférez le taxi, ne prenez que les véhicules blancs ou jaunes marqués SPQR sur la portière avant. La course jusqu'au centre historique dure au moins 45 minutes et revient à 40 €.

Aéroport de Ciampino

Si vous voyagez avec une compagnie à bas prix comme easyJet ou Ryanair, vous atterrirez sans doute à **Ciampino** (☎ 06 659 59 515 ; www.adr.it), à 15 km au sud-est de Rome.

Les bus **Terravision** (☎ 06 793 41 722 ; www.terravision.eu) constituent la meilleure option. Ils partent de l'aéroport juste après l'arrivée des vols et de la Via Marsala, devant la Stazione Termini, 2 heures avant ceux-ci. Les billets (aller simple/

aller-retour 8/14 €) s'achètent à bord, au terminal ou en ligne (tarif Internet : 6/10 €).

Autrement, **SIT** (☎ 06 591 78 44 ; www.sitbusshuttle.com) couvre régulièrement la ligne entre 8h30 et 23h45 depuis Ciampino, entre 4h30 et 21h15 depuis Termini. Achat des billets (aller simple/aller-retour 6/10 €) à bord ou en ligne.

Schiaffini (www.schiaffini.com) assure un service nocturne de la Stazione Termini (5 €). Départ à 4h45 et 4h50, à 0h15 de Ciampino.

Pour gagnez la ville en taxi, comptez 30 € (plus le supplément bagages) et 50 minutes de trajet. Là encore, montez uniquement dans un véhicule blanc ou jaune marqué SPQR sur la portière avant.

Train

La Stazione Termini (carte p. 93, D2), la gare ferroviaire centrale, relie Rome aux destinations européennes, à toutes les grandes villes d'Italie et à de nombreuses autres localités du pays. Son **bureau d'information** (☎ 7h-21h45), utile mais pris d'assaut, se situe dans le hall principal. Il est souvent plus rapide d'obtenir des renseignements sur www.trenitalia.com ou, si vous parlez italien, en appelant le ☎ 89 20 21.

ROME EN TRAIN

L'avion est peut-être le mode de transport le plus rapide et le moins cher pour rallier Rome depuis d'autres villes européennes, mais pourquoi ne pas prendre plutôt le train ? Ce moyen de transport permet en effet de réduire votre émission de carbone, tout en ajoutant à la destination finale le plaisir du voyage lui-même. Pour cela, il suffit de voyager à bord du train de nuit Artesia au départ de Paris. Vous découvrirez au réveil les paysages de l'Italie avant de débarquer directement dans le centre de Rome. Renseignements et réservations sur www.voyages-scnf.com.

COMMENT CIRCULER

C'est à pied qu'on découvre et apprécie le mieux le centre historique relativement compact. Les deux lignes de métro (A et B) présentent un intérêt limité pour le touriste car elles en contournent la majeure partie. Il existe aussi un réseau de bus plus étendu et un modeste réseau de tramway gérés par **ATAC** (☎ 06 57 003, numéro gratuit 800 431 784 ; www.atac.roma. it). Le site comprend un planificateur de trajet et un plan des transports téléchargeable. Dans ce guide, la station de métro, de bus ou de tram la plus proche du lieu décrit est notée après l'icône Ⓜ , 🚌 ou 🚊 .

Forfaits

Les titres de transport sont utilisables sur tous le réseau public, à l'exception des trains à destination de Fiumicino. Il en existe plusieurs types : le BIT (*biglietto integrato a tempo* ; 1 €), valable durant 75 minutes mais avec un seul trajet en métro ; le BIG (*biglietto integrato giornaliero* ; 4 €) journalier ; le BTI (*biglietto turistico integrato* ; 11 €) valable trois jours ;

la CIS (*carta integrate settimanale* ; 16 €) hebdomaire ; et *abbonamento mensile* (30 €) pour le mois. Si vous avez l'intention d'aller au-delà du centre historique, ce que nous vous conseillons, mieux vaut faire l'acquisition d'un billet journalier ou valable plusieurs jours.

Les billets ne s'achètent pas à bord mais dans les *tabacchi*, les kiosques à journaux et les automates. Il faut les valider à l'entrée du métro ou dans les machines placées à l'intérieur des bus et des trams.

Notez que le Roma Pass (p. 214) s'accompagne d'une carte de transport de trois jours.

Bus

La gare routière principale se situe devant la Stazione Termini (carte p. 93, C1), qui abrite un **kiosque d'information** (🕐 7h30-20h). Les autres nœuds de communication sont le Largo di Torre Argentina (carte p. 52–53, E5-E6), la Piazza Venezia (carte p. 41, A1) et la Piazza di San Silvestro (carte p. 85, A3). Les bus circulent habituellement de 5h30 à minuit.

MODES DE TRANSPORT RECOMMANDÉS

	Piazza Navona	Colisée	Escalier de la Trinité-des-Monts	Auditorium Parco della Musica
Piazza Navona	n/a	marche et 🚌 20 min	marche 20 min	marche et 🚌 ou 🚋 30 min
Colisée	marche et 🚌 20 min	n/a	🚌 20 min	Ⓜ et 🚋 35 min
Escalier de la Trinité-des-Monts	marche 20 min	🚌 20 min	n/a	Ⓜ et 🚋 25 min
Auditorium Parco della Musica	marche et 🚌 ou 🚋 30min	Ⓜ et 🚋 35 min	Ⓜ et 🚋 25 min	n/a
Cité du Vatican	marche et 🚌 15min	🚌 20 min	Ⓜ et marche 15 min	marche et Ⓜ et 🚋 30 min
Trastevere	marche et 🚌 15 min	🚌 et marche 25 min	🚋 25 min	🚋 et 🚋 30 min
Stazione Termini	marche et 🚌 20min	Ⓜ 6 min	Ⓜ 10 min	Ⓜ et 🚋 25 min
Piazzale Ostiense	marche et 🚌 30 min	Ⓜ 6 min	Ⓜ 20 min	Ⓜ et 🚋 35 min
San Lorenzo	marche et 🚌 30 min	🚌 20 min	Ⓜ 20 min	🚋 30 min

Les lignes 64 (Termini–Centro Storico–Saint-Pierre) et 40 Express (même itinéraire en plus rapide et moins fréquenté) font partie des plus utiles. Attention toutefois aux pickpockets.

Plus de 20 lignes fonctionnent toute la nuit à raison d'un bus toutes les 30 minutes. On les reconnaît à la lettre N après le numéro.

Métro

La Linea A (ligne A, rouge) et la Linea B (ligne B, bleue), qui se croisent seulement à Termini, décrivent un X et évitent la plupart des sites touristiques. Les rames passent environ toutes les 5 à 10 minutes de 5h30 à 23h30 (0h30 le samedi).

Jusqu'en 2009, la ligne A ferme à 21h pour des travaux d'ingénierie et sera remplacée par les bus MA1 (Battistini-Arco di Travertino) et MA2 (Viale G Washington-Anagnina).

Les billets, en vente dans les automates des stations, peuvent aussi être utilisés pour le bus et le tram.

Tramway

Les itinéraires les plus intéressants pour les visiteurs sont les suivantes : la ligne 8, qui se rend du Largo di Torre Argentina (carte p. 52–53, E5) vers le Trastevere et au-delà ; la ligne 2, qui relie le Piazzale Flaminio (carte p. 73, A1 ; juste au nord de la Piazza del Popolo) au MAXXI (p. 178) et à l'Auditorium Parco della Musica

Cité du Vatican	Trastevere	Stazione Termini	Piazzale Ostiense	San Lorenzo
marche et 🚌 15 min	marche et 🚊 15 min	marche et 🚌 20 min	marche et 🚌 30 min	walk et 🚌 30min
🚌 20 min	🚌 et marche 25 min	M 6 min	M 6 min	🚌 20min
M et marche 15 min	25 min	M 10 min	M 20 min	M 20 min
marche et M et 🚊 30 min	🚊 et 🚌 30 min	🚊 & M 25min	🚊 et M 35 min	🚊 30 min
n/a		marche et M 20min	marche et M 30min	🚌 40min
🚌 20 min	n/a			
marche et M 20 min	🚌 20 min	n/a	M 8 min	🚌 15 min
marche et M 30 min	🚌 20 min	M 8 min	n/a	🚌 20 min
🚌 40 min	🚌 30 min	🚌 15 min	🚌 20 min	n/a

(p. 182) ; et la ligne 19 entre San Lorenzo et Il Pigneto.

Train

À moins de vouloir sortir de l'agglomération romaine pour rejoindre des sites comme Ostia Antica (voir l'encadré p. 143), vous ne devriez pas avoir besoin du réseau ferroviaire de banlieue.

Taxi

Montez uniquement dans un taxi officiel (blanc ou jaune, avec l'inscription SPQR sur la portière avant) et équipé d'un compteur. Exigez que ce dernier soit mis en marche et ne convenez jamais d'un prix à l'avance (seules les courses depuis/vers les aéroports font l'objet de tarifs fixes). Les tarifs officiels figurent dans les véhicules et sur site www.romaturismo. it (cliquez sur Other languages\ Français\Rome Transports).

Il est interdit de héler un taxi dans la rue : il faut soit téléphoner soit attendre à une station – sachez que le compteur commence à tourner dès la réservation.
Vous pouvez contacter les compagnies suivantes :
La Capitale (☎ 06 49 94)
Radio Taxi (☎ 06 35 70)
Samarcanda (☎ 06 55 51)

RENSEIGNEMENTS
ARGENT

Rome n'est pas une destination bon marché. Avec deux grands musées, un titre de transport pour la journée, un repas économique, deux ou trois cafés et un dîner correct, vous dépenserez facilement 80 € par jour sans compter l'hôtel. Si vous ajoutez à cela quelques cocktails et achats, la note monte rapidement. Les voyageurs à petit budget aguerris peuvent s'en tirer pour 40 € par jour, hébergement en sus. Les transports publics s'avèrent relativement peu chers. De nombreux musées accordent la gratuité aux citoyens de l'UE de moins de 18 ans et de plus de 65 ans ainsi que des tarifs réduits à ceux âgés de 18 à 24 ans. Il existe aussi différentes cartes de réduction avantageuses (voir ci-après).

Pour les taux de change, voir deuxième de couverture.

CIRCUITS ORGANISÉS

Pour "vivre" la Rome antique, percer les arcanes du Vatican, pousser les portes des palais privés ou plonger dans la Rome souterraine, rien ne vaut un guide comme ceux de **Visiterome** : une association de guides-conférenciers officiels francophones passionnés et passionnants. À pied, en vélo ou en scooter, de jour ou de nuit, Ivano, Elena et Valérie concoctent des itinéraires insolites (leurs références leur permettent d'avoir accès à certains sites fermés au public) ou des parcours plus "classiques". Pour une visite en groupe de 4 à 10 personnes, comptez 15 à 35 € par personne pour 3 heures.

Pour une visite privée, le tarif monte à 130 € pour 3 heures. Visiterome se charge des réservations et, dans la plupart des cas, peut jouir d'un accès prioritaire aux musées et monuments. Pour plus de détails ou pour contacter les guides : www.visiterome.com et ☎ 334 340 86 93.

COMMUNAUTÉ HOMOSEXUELLE

Outre les lieux gay et lesbiens mentionnés dans les chapitres consacrés aux quartiers, voici quelques autres adresses et sources d'informations :

Circolo Mario Mieli di Cultura Omosessuale (carte p. 139, A6 ; ☎ 06 541 39 85 ; www.mariomieli.it en italien ; Via Efeso 2A). La principale organisation GLBT (gay, lesbienne, bisexuelle et transexuelle) de Rome propose des soirées cinéma et des soirées clubbing à la Muccassassina (voir l'encadré p. 113) ainsi que le *Gay Map of Rome*, un plan pratique disponible gratuitement dans les lieux gay de la ville.

Europa Multiclub (carte p. 85, D2 ; ☎ 06 482 36 50 ; www.gaysaune.it ; Via Aureliana 40). Le meilleur des trois saunas de Rome. Tous demandent à leurs clients d'avoir l'Arcigay Uno Club Card (15 €) en vente sur place.

Libreria Babele (carte p. 52-53, B4 ; ☎ 06 687 66 28 ; www.libreriababele.it en italien ; Via dei Banchi Vecchi 116). Une librairie GLBT où l'on peut se procurer des magazines comme *AUT* (en italien) avec le programme des concerts dans les bars, de même que le mensuel *Pride*. Consultez le site web pour le calendrier des manifestations culturelles.

HANDICAPÉS

Avec ses trottoirs encombrés ou inexistants, ses ascenseurs minuscules, sa circulation chaotique et ses rues pavées, Rome ne facilite pas la vie des personnes handicapées. Il faut cependant admettre que des améliorations ont été réalisées : les nouveaux bus et trams sont adaptés au transport des fauteuils roulants, la plupart des musées disposent désormais de rampes et les stations de la ligne B du métro (sauf Termini, Circo Massimo, Colosseo et Cavour) sont accessibles en fauteuil. Et si la ligne A du métro s'avère quasiment impraticable, le bus 590 suit le même itinéraire.

Si vous utilisez le rail, le **Centro di Assistenza Disabili** (Centre d'assistance pour les handicapés ; carte p. 93, C1 ; ☎ 06 488 17 26 ; ⏰ 7h30-20h30), dans le hall principal de la Stazione Termini, procure des informations sur les trains équipés et vous aide à vous déplacer dans la gare.

Au moment de réserver un taxi, assurez-vous qu'il convient aux *sedie a rotelle* (fauteuils roulants).

HEURES D'OUVERTURE

Les banques sont généralement ouvertes au public de 8h30 à 13h30 et de 14h45 à 16h30 en semaine. Certaines agences le sont aussi de 8h30 à 12h30 le samedi.

La plupart des boutiques du centre de Rome ouvrent de 9h à 19h30 (ou de 9h30 à 20h) du lundi au samedi. Les grands magasins et les supermarchés fonctionnent également le dimanche, d'ordinaire de 11h à 19h. Les petits commerces familiaux sont en activité de 9h à 13h et de 15h30 à 19h30 (ou de 16h à 20h) du lundi au samedi. Il arrive toutefois qu'ils ferment plus tôt quand les affaires tournent au ralenti.

De nombreux commerces d'alimentation baissent le rideau le jeudi après-midi en hiver et le samedi après-midi en été, tandis que d'autres font relâche le lundi matin.

La majorité des restaurants servent de 12h à 15h et de 19h30 à 23h (plus tard en été). Les bars et les cafés restent habituellement ouverts de 7h30 à 20h, parfois jusqu'à 1h ou 2h. Les discothèques ouvrent leurs portes vers 22h, mais ne s'animent pas avant minuit.

Les horaires des principaux lieux touristiques varient énormément. Nombre des grands sites archéologiques accueillent les visiteurs de 9h à 1 heure avant le coucher du soleil, les musées majeurs de 9h30 à 19h. Notez que pour ceux-ci, la dernière admission a généralement lieu 1 heure avant la fermeture. Sachez aussi que les musées nationaux ferment le lundi. Dans ce guide, nous donnons pour chaque lieu les horaires spécifiques.

INTERNET

Des accès Wi-Fi émaillent le centre de Rome, dans tous les grands parcs et sur la plupart des places importantes. Pour vous connecter, activez votre navigateur et remplissez le formulaire qui demande votre numéro de mobile. Après un coup de téléphone rapide pour vérifier ce dernier, vous pourrez bénéficier d'une heure d'Internet gratuit par jour. Voir détails sur www.romawireless.com.

Les multiples cybercafés locaux exigent une pièce d'identité avec photo. Essayez ceux-ci :

Internet Café (carte p. 93, B3 ; ☎ 06 478 23 051 ; Via Cavour 213 ; ☾ 11h-1h lun-ven, 15h-1h sam-dim ; 2 €/heure de 11h à 16h et 2,90 € de 16h à 1h).

New Internet Point (carte p. 148-149, E4 ; ☎ 06 583 33 316 ; Piazza Sonnino 27 ; ☾ 8h30-24h ; 4 €/heure). En face du point d'information touristique.

Yex Internet Point (carte p. 52-53, D5 ; Piazza Sant'Andrea della Valle 1 ; ☾ 10h-24h ; 4,40 €/heure). Proche de la place Navone, il possède des terminaux tous équipés d'une webcam.

Sites Internet

Lonely Planet (www.lonelyplanet.fr). Informations, liens et ressources.

Pierreci (www.pierreci.it). Réservation de billets pour le Colisée et autres sites majeurs.

Roma C'è (www.romace.it). Un site malin et facile à utiliser, consacré aux évènements culturels les plus chauds de la semaine. Version anglaise téléchargeable.

Roma Style (www.romastyle.info en italien). Infos à jour sur la musique alternative et la scène culturelle romaines.

Roma Turismo (www.romaturismo.it). Le site complet de l'office du tourisme de Rome qui dresse, entre autres, la liste des lieux d'hébergement et des manifestations.

JOURS FÉRIÉS

Nouvel An. 1er janvier
Épiphanie. 6 janvier
Pâques. Mars/avril
Jour de la Libération. 25 avril
Fête du Travail. 1er mai
Saints-Pierre-et-Paul. 29 juin
Assomption (Ferragosto). 15 août
Toussaint. 1er novembre
Noël. 25 décembre
Saint-Étienne. 26 décembre

LANGUE

Expressions de base

Bonjour.	*Buongiorno.*
Au revoir.	*Arrivederci.*
Comment allez-vous ?	*Come sta ?*
Bien, merci.	*Bene, grazie.*
Excusez-moi.	*Mi scusi/Permesso.*
Oui.	*Sì.*
Non.	*No.*
Merci.	*Grazie.*
Je vous en prie.	*Prego.*
Parlez-vous français/ anglais ?	*Parla francese/ inglese ?*
Je ne comprends pas.	*Non capisco.*
Combien ça coûte ?	*Quanto costa ?*
C'est trop cher.	*È troppo caro.*

Au restaurant

C'était délicieux !	*Era squisito !*
Je suis végétarien(ne).	*Sono vegetariano/a. (m/f)*
L'addition, s'il vous plaît.	*Il conto, per favore.*

Urgences

Je suis malade.	*Sono ammalato/a. (m/f)*
Au secours !	*Aiuto !*
Appelez la police !	*Chiama la polizia !*
Appelez une ambulance !	*Chiama un'ambulanza !*

Expressions dialectales

Tant mieux pour toi !	*Bella pe' tte !*
Tu me fais rigoler !	*Sei un tajo !*
À plus tard.	*Se beccamo.*
Pas moyen.	*Non c'è trippa pe' gatti* ("pas de tripes pour les chats")
Arrête !	*Accanna!*
La coupole de Saint-Pierre	*Er Cuppolone*

OFFICES DU TOURISME

La municipalité de Rome a mis en place une **ligne d'information touristique multilingue** (☎ 06 820 59 127 ; 🕑 9h30-19h30) et publie deux brochures mensuelles utiles. Ces dernières, ainsi que des plans gratuits, sont disponibles dans les offices du tourisme suivants :

Fiumicino Airport (☎ 06 659 54 471 ; Terminal C, Arrivées internationales ; 🕑 9h-19h)

Piazza Navona (carte p. 52-53, D3 ; ☎ 06 688 09 240 ; 🕑 9h30-19h30)

Stazione Termini (carte p. 93, C2 ; ☎ 06 489 06 300 ; 🕑 8h-21h). Dans le hall parallèle au quai 24.

Trastevere (carte p. 148-149, D4 ; ☎ 06 583 33 457 ; Piazza Sonnino ; 🕑 9h30-19h30)

Via dei Fori Imperiali (carte p. 41, D2 ; ☎ 06 699 24 307 ; Piazza del Tempio della Pace ; 🕑 9h30-19h30)h

L'**Office du tourisme de Rome** (APT ; carte p. 85, D2 ; ☎ 06 48 89 91 ; www.romaturismo.it ; Via Parigi 5 ; 🕑 9h-19h lun-ven) fournit quantité de renseignements sur l'hébergement, les itinéraires et les activités.

En France, vous pouvez contacter l'**Office National Italien de Tourisme** (☎ 01 42 66 66 68 ; 23 rue de la Paix, 75002 Paris ; www.enit-france.com).

POURBOIRE

Dans les restaurants où le service n'est pas inclus, les Romains ont l'habitude de laisser 10% de pourboire. Arrondir la course de taxi à l'euro supérieur suffit. N'oubliez pas non plus de donner 4 € au portier dans les hôtels de luxe.

RÉDUCTIONS

Les cartes de réduction qui suivent sont en vente dans tous les musées et monuments cités. On peut aussi se procurer le Roma Pass dans les kiosques d'information touristique.
La **carte Appia Antica** (adulte/18-24 ans de l'UE 6/3 €, valable 7 jours) couvre les thermes de Caracalla, le Mausoleo di Cecilia Metella et la Villa dei Quintili.
La **carte Archaeologia** (adulte/18-24 ans de l'UE 20/10 € plus 2 € pour les expositions temporaires, valable 7 jours) englobe les quatre sites du Museo Nazionale Romano, le Colisée, le Palatin, le Forum romain, les thermes de Caracalla, le Mausoleo di Cecilia Metella et la Villa dei Quintili.

Le **Roma Pass** (www.romapass.it ; 20 €, valable 3 jours) donne accès gratuitement à deux musées ou sites parmi un choix de 38, accorde des réductions sur d'autres lieux et manifestations, et permet d'utiliser les transports publics de manière illimitée. Il s'avère très avantageux si vous l'utilisez pour les sites les plus chers, comme par exemple les musées du Capitole.

La **carte Museo Nazionale Romano** (adulte/18-24 ans de l'UE 7/3,50 € plus 3 € pour les expositions temporaires, valable 3 jours) vaut pour les différents lieux du Museo Nazionale Romano (Crypta Balbi, Palazzo Altemps, Palazzo Massimo alle Terme et thermes de Dioclétien).

···

TÉLÉPHONE

Les cabines ne manquent pas à Rome, mais la plupart n'acceptent que les cartes téléphoniques (*schede telefoniche*). D'une valeur de 5, 10 ou 20 €, celles-ci sont disponibles dans les bureaux de tabac (*tabacchi*), ainsi que dans certains kiosques à journaux et bars. Pour les communications internationales, mieux vaut acheter une des cartes d'appel longue distance vendues par les buralistes.

Indicatifs

Le code de l'Italie est le ☎ 39, l'indicatif de Rome le ☎ 06. N'oubliez pas le 0 si vous appelez d'un autre pays. Pour téléphoner à l'étranger depuis l'Italie, composez en premier le ☎ 00.

Numéros utiles

Renseignements (☎ 89 24 12)
Renseignements internationaux (☎ 4176)
Appels en PCV (☎ 170)

>INDEX

Voir aussi les index Voir (p. 222), Shopping (p. 229), Se restaurer (p. 230), Prendre un verre (p. 231), Sortir (p. 232) et Se loger (p. 232).

INDEX

⊙ VOIR

🛍 SHOPPING

🍴 SE RESTAURER